SOR GESUALDA DEL ESPIRITU SANTO

CARMELITA DEL MONASTERIO DE FLORENCIA

SANTA TERESITA DEL NIÑO JESUS

XXIV Edición

SAN PABLO

Puede imprimirse
Jesús García Gutiérrez
Censor
México, D. F., 3-V-1956

Imprímase
Miguel Darío Miranda
Arzobispo electo de México
México, D. F., 10-VI-1956

Primera Edición, 1956
Vigésima cuarta Edición, 1997

Impreso y hecho en México
Printed and made in Mexico

ISBN: 970-612-001-7

NACIMIENTO E INFANCIA

AURORA ENLUTADA

Hasta hace unos años, ¿quién hablaba de Lisieux, quién sabía tal nombre, quién se interesaba por esa localidad, viajando por Francia?

Era una humilde ciudad normanda, melancólica y triste, a pesar de sus verdes contornos y de sus jardines floridos; un grupo de casas, de agudos tejados, dominados por esbelto campanario y una severa y alta catedral gótica.

Desprovista de toda importancia, nadie hubiera sospechado hace treinta años su actual gloria, la cual no le había de venir ciertamente del mundo, sino de una monjita, grande a los ojos de Dios después de su muerte, por haber sido humildísima durante la vida.

Hoy día la oscura ciudad es conocida en el mundo entero y ha llegado a ser el centro donde convergen de todas las naciones, en abigarrado y compuesto tropel, peregrinos y viajeros, que no acuden a ella por curiosidad y pasatiempo, sino para postrarse sobre la blanca tumba, donde, hace unos cuantos años, yacen los restos mortales de *Santa Teresita del Niño Jesús,* para ver el humilde monasterio donde se deslizaron sus días y visitar la iglesia donde fueron aquellos restos preciosos

5

transportados hasta ser ensalzados por la Iglesia al honor de los altares.

Nacida en Alenzón el 2 de enero, a los cuatro años y medio de edad llegó a Lisieux, y allí murió a los veinticuatro, el 30 de septiembre de 1897, conservando hasta el fin en sus ojos, pensativos y luminosos, el encanto de aquel cielo a que se dirigían de continuo sus pensamientos y afectos.

Cuando en septiembre de 1877 posó sus plantas en Lisieux, venía vestida de luto, haciendo su vestido negro resaltar con mayor relieve los reflejos de sus blondos rizos y pronunciando más y más los atrayentes encantos de su dulce carita de ángel. ¡Qué piedad, qué simpatía, qué amagos de lágrimas no suscita una niña de cuatro años vestida de luto! Mas ¿qué le había acaecido? Una de las mayores desgracias: el ángel de la muerte había agitado entre su familia sus enlutadas alas y le había arrebatado el ser, para ella más necesario e indispensable: la madre. Una madre joven aún, activa, enérgica y buena, cristiana de verdad y profundamente piadosa, con un sólo ideal ante sus ojos: Dios y la familia.

Antes que le nacieran los hijos, aquella mujer ideal los esperaba con alegría, con una bendición del cielo. Luego los estudiaba con amor y los educaba con fe y sobrehumana sabiduría. Parecía, pues, necesaria. Pero, en frase de Isaías, *"no son los caminos del Señor como los nuestros, ni sus pensamientos como los nuestros"*. Y Dios, con fecha 25 de agosto de 1877, la quiso para sí.

Cinco hijas, la mayor de diecisiete años y la última de cuatro y medio, y un marido que sollozaba desolado, rodeaban el lecho mortuorio, mientras cuatro angelitos, volados al cielo en la aurora de la vida, descendían a consolar en aquella hora suprema y a acompañar al reino de los bienaventurados al espíritu materno. La dolorosísima escena se imprimió profundamente en el ánimo de la menor de las hijas, nuestra Teresita, que a lo largo de su vida conservó grabada en la memoria la imagen respetuosa del padre acompañando la entrada y la salida del Viático, traído a la pobre madre: sublime afirmación de fe, de esperanza y de amor, en medio de angustia tan intensa. En el transcurso de su existencia sobre la tierra sintió dentro de sí el eco de sus sollozos durante la ceremonia de la Extremaunción, el de las plegarias de las hermanas y el de la respiración, cada vez más débil, de la madre agonizante.

A pesar de su tierna edad, todo lo seguía con ojos enjutos, mas sin dejar de sentir allá en el fondo de su corazoncito de niña la nada de las cosas terrenas y la realidad de las eternas esperanzas.

Tras el funeral, las cinco hermanas se miraron mudas de dolor, con los ojos empañados de llanto. Conmovida por tal escena, contemplando la criada a las dos menores, no pudo menos de exclamar: "*¡Pobres niñas! ¡Ya no tenéis madre!*" Entonces Celina, lanzándose a los brazos de María, la hermana mayor: "Tú serás mi madre", le dijo con afectuoso arranque. Pero Teresa, que en otras ocasiones en todo la imitaba, no lo hizo esta vez, mirando con ternura a Paulina, la segunda de las hermanas, fue a esconder su cabecita sobre el corazón de aquélla, murmurando tímida: "*Para mí, la madre será Paulina*".

A partir de aquel día, la alegría de Teresita se veló de tristeza, de timidez y de sensibilidad excesivas, durando en este estado hasta la edad de catorce años.

LA PRIMERA GRACIA

La primera gracia que de Dios recibió aquella criatura predestinada fue la de haber nacido en el seno de una familia donde la virtud reinaba como señora y soberana. En el árido desierto del mundo, esta familia patriarcal producía la misma sensación de frescura, refrigerio y paz que entre las ardientes arenas africanas ofrece el oasis sombrío y silencioso.

La Sagrada Escritura compara al justo con la palma que yergue altiva su talle majestuoso. Y ¿quién mejor que los padres de Teresita merecen tal apelativo? ¿Qué alma, mejor que la suya, se dirigió siempre recta al cielo, ansiando únicamente cumplir en este mundo la divina voluntad? ¿Cómo no habían de crecer fragantes de virtud aquellas delicadas flores que a sus pies brotan, protegidas al amparo de sus ramos, que las defendían contra los embates de la tempestad?

El encuentro de estos padres admirables en los caminos de la vida tuvo algo de singular y providencial. Su primera aspiración fue consagrarse a Dios por entero y servirle en la persona de los pobres, que son los miembros dolidos de Cristo.

Luis Martín, alma tranquila y contemplativa, soñaba con las nieves del Gran san Bernardo. En aquel candor perpetuamente inmaculado, en aquel

8

profundo silencio, tan favorable a la contemplación, le pareció escuchar el gemido de los pobrecillos azotados por el látigo de las tormentas en la travesía de los Alpes, o ateridos de frío al tenderse en el suelo para reponer sus agotadas fuerzas, y se propuso engrosar las filas de aquellos monjes, consagrados en cuerpo y alma a la salvación de los desventurados viajeros. ¡Cuánta poesía en aquella forma de caridad sublime!" ¡Qué atractivos en aquella vida, orlada por las frías brisas de las cumbres, entre cimas y gargantas nevadas, en el monasterio solitario, con monjes tan alejados del mundo y, a la vez, tan cerca de sus hermanos!

Celia Guerín, en cambio, vivaz y ardiente, llena de actividad y de sentido práctico, anhelaba las blancas galerías de un hospital, deseosa de consumir la vida bajo la túnica grisácea y la blanca toca de las Hijas de san Vicente de Paúl.

Pero las instancias del uno y de la otra no fueron aceptadas. El superior del Gran san Bernardo mandó a Luis Martín que se volviese a contemplar en el seno de la familia los estudios de latín, y la superiora de las Hijas de la Caridad dijo sin rodeos a Celina Guerín que no tenía vocación para la vida religiosa.

Otros eran los designios de Dios sobre ellos. No desde la garganta de los Alpes, ni de las salas de un hospital estaban llamados ambos jóvenes a enviar almas al cielo, reconduciéndolas a Dios, quizás después de una vida desgarrada y mancillada por la culpa; en el seno de una nueva familia era donde estos dos juveniles corazones, unidos indisolublemente por los lazos del matrimonio, deberían formar espíritus selectos, que en su día poblarían el cielo con multitud de almas escogidas.

¡SALVADLA, GLORIOSO SAN JOSE!

Las familias Martín y Guerín, vecinas ambas de Alenzón, no se conocían. Pues bien, sucedió que un día, atravesando Celia el puente de San Leonardo, quedó vivamente impresionada al reparar en el porte distinguido y modesto de un joven con quien se cruzó al acaso. Parecióle que una voz interior le susurraba en el corazón: *"Este es el joven que te tengo preparado"*. Era la respuesta a la ferviente plegaria que hacía tiempo venía dirigiendo al Señor para que le deparara un marido no sólo católico, sino católico ferviente.

El 13 de julio de 1858 los dos jóvenes se unían, con lazo indisoluble, en la iglesia de Nuestra Señora de Alenzón.

Tenían respecto del matrimonio bien diversos ideales, en conformidad con la índole de cada cual. Celia había pedido al Señor con fe profunda muchos hijos, consagrándolos todos de antemano a su divino servicio; Luis en cambio, acariciaba la idea de asociar el honor de la continencia a la bendición del matrimonio cristiano. La misma tarde de su unión manifestó su deseo a la joven esposa, y ella accedió gustosa, aunque con ello destruía sus más acariciadas esperanzas.

Transcurrido un año, comprendió el sacrificio que a la esposa imponía, y él, a su vez, pospuso su ideal al de su digna consorte. Por lo demás, esto parecía más a tono con los designios de Dios, puesto que nueve hijos vinieron a regocijar el corazón de los padres.[1]

Cuatro no hicieron más que mostrarse a la tierra y tornarse al cielo. Entre ellos estaban dos varones, con tantas oraciones pedidos a impulsos del deseo ardentísimo de contar entre los hijos a un sacerdote, a un misionero.

Pero el *sacerdote* y el *misionero* de la casa Martín no había de ser un niño, sino la benjamina de la familia: una dulcísima criatura que había de superar con mucho en conquistar almas para el cielo a los misioneros individuales de aquí abajo. En torno a ella, como astros de menor magnitud, las restantes hermanas, fueron consagradas todas a Dios según el voto materno.[2]

Diríase que el sacrificio de aquel primer año de matrimonio, año de mortificación y oración, obtuvo para aquellos santos padres toda una floración de lirios hermosísimos.

* * *

Teresita, la pequeña misionera, nacida el 2 de enero, fue bautizada el 4. Motivó esta demora la ausencia de Alenzón del llamado a apadrinar a la recién nacida, siendo aquellos dos días penosísimos para la pobre madre, ante el temor de ver

1. María Luisa, María Paulina, María Leonia, María Elena, María José Luis, María José Juan Bautista, María Celina, María Melánea Teresa y María Teresa.
2. Cuatro en el Carmen de Lisieux; conviene saber: María Luisa (Sor María del Sagrado Corazón), María Paulina (Sor Inés de Jesús), María Celina (Sor Genoveva de la Santa Faz), María Francisca Teresa (Sor Teresa del Niño Jesús), María Leonia, religiosa en la Visitación de Mans.

por momentos morir sin bautismo a la débil creaturita.

Impusiéronle el nombre de María Francisca Teresa; pero en el uso fue llamada comúnmente Teresa con preferencia a los otros nombres. Y como en el seno de su familia prevaleció el diminutivo de *Teresita*, en el círculo grande, inmenso, de sus devotos es y será conocida siempre con el dictado de "la pequeña Teresa", "Santa Teresita", la querida santita, querida y bien amada. Tal era por lo demás su deseo. La idea de pequeñez que había informado su vida, debía acompañarla hasta la gloria de la eternidad. A uno que le preguntaba un día cómo debería llamarla cuando estuviese en el cielo, le contestó: *"Llamadme Teresita"*.

La madre quiso amamantarla por sí misma. Durante algunas semanas todo fue bien; pero después sobrevino tal agotamiento, que la pequeña estuvo a punto de irse a juntar con sus hermanitos difuntos, que parecían invitarla desde el cielo.

El médico aconsejó que se confiase la niña a una campesina robusta que supliese la imposibilidad maternal. Al día siguiente, de madrugada, la señora de Martín (el marido estaba ausente) emprendió el camino de Semallé, a seis millas de Alenzón, en busca de una garrida aldeana que le había criado uno de sus hijos. Mientras avanzaba por el camino de aquella solitaria campiña, temiendo el contratiempo de cualquier mínima tardanza, se encontró con dos hombres de aspecto poco tranquilizador. Sola en aquel desierto, sintió miedo; pero no dudó, y prosiguió adelante, con el pensamiento de que, aunque la asesinaran, le importaría poco, según tenía el deseo de la muerte prendido en el corazón.

De regreso a su casa, halló a su Teresita lívida y fría. *"Ya es tarde* —dijo, moviendo la cabeza, la aldeana que la acompañaba—, *ya es tarde"*.

La pobre madre, llena de dolor, no desesperó. Corrió a su alcoba, se echó a los pies de la imagen de san José, y, entre sollozos y lágrimas, pidió un milagro, segura de obtenerlo. Volvió después a ver a la moribunda, y ¡cuál no sería su gozo, al verla pendiente del pecho de la nodriza, sorbiendo con el alimento raudales de nueva vida! Pero fue sólo un relámpago de esperanza. La pobre criatura cayó inerte sobre las rodillas que la sostenían. Entonces, la señora de Martín, que era una alma heroica de verdad, halló en su espíritu de fe y amoroso abandono, suficientes fuerzas para dar gracias al Autor de la vida por tronchar tan dulce y tranquilamente la vida de su tierna benjamina. "Dios me la ha dado, Dios me la ha quitado. Cúmplase en todo su santísima voluntad". Era lo que Dios parecía esperar para operar el milagro.

En efecto, la enfermita abrió los ojos, miró a la madre y le sonrió dulcemente. San José, protector especialísimo del Carmelo, le reservaba esta magnífica flor.

Ocho días después, la nodriza partía para su choza, llevándose a la niña, que, durante un año, debía desarrollarse rodeada de una atmósfera llena de luz, de sol y de perfumes agrestes.

NIDO DIVINO

La familia Martín vivía con cierto desahogo, procurado a fuerza de muchas fatigas, visiblemente bendecidas por Dios, que nunca niega sus mercedes a quien camina según las exigencias de su santa ley.

Luis tenía montado un buen negocio de orfebrería, y la mujer, un comercio de encajes al que ya se dedicaba antes de su enlace matrimonial.

Desde la respuesta de la superiora de las Hijas de la Caridad, Celia comprendió que su destino era el matrimonio, y con todas las veras se había ingeniado para acrecentar la dote y hacer frente a las necesidades de su futura familia. No esperando ayuda del padre, militar retirado, que tenía que atender a la educación de su hijo Isidro y de otra hija menor, se vio forzada a mirar por sus propias necesidades; pero antes acudió con ferviente oración a María, pidiéndole luz y consejo.

Y he aquí que un día, el 8 de diciembre precisamente, fiesta de la Inmaculada, sintió una voz interna con apremios de mandato: *"Dedícate al encaje de Alenzón"*.

No era ludibrio de la imaginación o de la fantasía. En esa palabra interior, Celia vio la respuesta de Nuestra Señora. Sin perder tiempo se dio con exquisita energía a estudiar los varios procedimientos de la fabricación de encajes; se especializó en la composición de piezas sueltas en la fábrica y se puso por último a la cabeza de una empresa, en la que continuó después de casada. El comercio rindió tan halagüeños resultados, que obligó al señor Martín, en 1870, a ceder su almacén de orfebrería para secundar más activamente a su mujer, y con este fin se dedicó a viajar para solicitar pedidos, llevando además por su cuenta la administración.

* * *

¿El secreto del éxito? Helo aquí:

El descanso en los días festivos era rigurosamente observado. Los domingos y demás festividades, el negocio de Martín aparecía invariablemente cerrado. Humanamente hablando, suponía este proceder una gran pérdida, pues es de notar que el domingo era precisamente cuando las mozas de la aldea venían a Alenzón a realizar sus compras, especialmente en vísperas de boda. Hubo amigos que aconsejaron al orfebre que, para ejemplo de los demás, cerrase los escaparates del almacén, pero que dejase abierta una puertecilla lateral que se comunicaba con la casa, por la cual pudiesen entrar los compradores, y con esto pondría a salvo ambas cosas: el ejemplo ajeno y el propio interés. El católico de verdad no es un fariseo, y el señor Martín opuso a este parecer hipócrita la más desdeñosa negativa, declarando que prefería la bendición de Dios a toda terrena ganancia.

El sacrificio eucarístico era para aquellos esposos cristianos el sol que iluminaba el alba de cada día. Muy de madrugada iban juntos a misa y en ella comulgaban con frecuencia. Vueltos a casa, juntaban a la familia para rezar en común. Luego, durante la jornada, sostenían y reanimaban sus ánimos con la lectura de la vida de algún Santo. La visita al Huésped del Sagrario era la meta de sus paseos. Una postrer oración en común precedía al reposo. Los ángeles podían en todo momento depositar ante el divino acatamiento los mensajes de amor y fidelidad de este hogar modelo.

El amor al prójimo, que no es otra cosa sino la manifestación del amor a Dios, no podía menos de llamear en el corazón de Luis Martín: en él reinaba la justicia y la caridad.

No toleraba que de las casas proveedoras se tomase cosa alguna a crédito. Todo lo pagaba al contado; de igual manera, no retardaba la paga de sus obreros *"para no retener injustamente —decía— cantidades debidas al salario ganado y exponerse por inadvertencia a exceder los propios réditos"*.

Refiramos algún caso edificante:

Caritativo, con caridad espontánea, que no se deja llevar de miramientos humanos, hallándose cierta vez en una estación con un epiléptico que moría de hambre sin poderse repatriar por falta de medios, le puso en el sombrero el primer óbolo de caridad de los demás viajeros. Otra vez, viendo tendido a la vera del camino a un miserable borracho, al cual las gentes que presumían de dignidad miraban pasando de largo con desprecio, este buen samaritano se inclinó hasta él, lo levantó, le tendió el brazo y lo condujo a su casa.

Dedicábase pacientemente a la pesca, descanso y distracción; pero siempre destinaba a las Clarisas de Alenzón la cesta de truchas o anguilas pescadas.

Y no se crea que la señora de Martín fuera a la zaga del marido en obras de caridad. Noche y día durante no poco tiempo, hubo de velar a la cabecera del lecho de una criada enferma, prodigándole cuidados que los padres no podrían prestarle, dada su extrema necesidad.

Otra vez tuvo que sufrir las molestias de una demanda judicial por haber querido sustraer una niña a los malos tratos de dos furias, encargadas de su educación.

Junto con el amor a Dios y al prójimo, vemos profundamente arraigado en los esposos el amor a la patria, que es a su vez una virtud nobilísima. Hijos ambos de militares que habían luchado en las guerras del Imperio y de la Restauración, Luis y Celia Martín sentían correr por sus venas la sangre caldeada de entusiasmo por el nombre francés.

En 1870, año de la guerra franco-prusiana, Celia escribe: *"Puede suceder que sean llamados a filas los hombres de cuarenta a cincuenta años, y hasta lo espero; pero mi marido no se asusta por ello y dice muchas veces que, de estar libre, ya se hubiera enrolado en las filas de los franco-tiradores"*.

No comprende que haya seres capaces de emboscarse cuando la patria está en peligro y mueren los hermanos en el campo del honor. *"¿Cómo es posible hacer cosa semejante?"* —exclama con nobilísimo desdén— ante la noticia de que una señora de la ciudad andaba ocultando a su marido para sustraerlo de la movilización.

Cuando los prusianos, vencedores, invadieron Alenzón: *"La ciudad está desolada —escribe—; todos lloran, menos yo"*. Y se le había obligado a alojar en su casa a nueve infantes tudescos, que en un abrir y cerrar de ojos *"lo han desordenado todo y han puesto la casa que da lástima"*. No perdió con todo el ánimo.

Dama tan firme, animosa, enérgica y, al mismo tiempo, llena de inefable ternura, no podía menos de inspirar a sus hijas el culto del deber, el amor del sacrificio. Es que la vida es una realidad, no una quimera; una realidad basada en estas dos solas palabras fundamentales: deber y sacrificio. La vida tiene pocas rosas y está regada de muchas lágrimas. De aquí que la madre prepare a sus hijas desde pequeñas a no hacer caso de las punzadas de las espinas y a soportar animosas el dolor, a no derramar lágrimas sino de resignación. Quiere habituarlas a vivir con los ojos y el corazón en alto, obrando por motivos sobrenaturales, buscando —según la sentencia de la bienaventurada Francisca de Amboise, que bien puede ser considerada como la divisa de la señora de Martín— que en todo predomine el amor de Dios: que predomine en la alegría, que predomine en el dolor.

Un ejemplo: María, la mayor de las niñas, aún pequeña, tiene que ir al dentista para sufrir una operación que corrija su dentadura. Le han dicho que la sufra y la ofrezca por el alma de su abuelo, si está en el purgatorio. Basta este pensamiento para infundirle tal decisión que admira al dentista.

Pero un nuevo y más detenido examen aconseja renunciar a la operación, y María dice afligida a la madre: "*¡Oh, qué lástima! ¡El pobre abuelito no hubiera estado más en el purgatorio!*"

Siempre igual. Aquella madre admirable, echando mano de su afectuosa persuasión, sabrá de tal modo moldear las juveniles voluntades de sus hijas, que llegarán, no sólo a la resignada aceptación del sacrificio, no sólo a la negación *quejumbrosa* de sí mismas, sino a la más generosa abnegación; no sólo al cumplimiento lánguido del deber, sino al cumplimiento más amoroso y enérgico.

Por lo demás, si animaba a la niña a sufrir la operación el pensamiento de poder aliviar el purgatorio del pobre abuelo, había ella hecho mucho más. Después de la muerte de él, escribe de esta manera: "*Si Dios así lo quisiera, me obligaría a soportar su purgatorio y el mío. No me asusta el dolor. Sufrir parece la cosa más natural del mundo. ¡Estaría tan contenta de saber que es feliz!*"

Generosamente se había ofrecido por él.

Sus palabras no eran vanas. Ningún sacrificio le había hecho jamás decaer su ánimo, ninguna prueba la había abatido. He aquí su lenguaje en medio de la tribulación más dura que pueda amagar el corazón de una madre, la muerte de los hijos.

"*Cuando cerraba los ojos a mis queridos hijitos y los dejaba en la tumba, sentía un gran dolor, pero un dolor resignado. No me lamentaba de las penas y preocupaciones por ellos soportadas. Todos me decían: mejor sería no haberlos tenido. Tal lenguaje me era intolerable, pareciéndome que penas y preocupaciones no podían ponerse en balanza con la felicidad eterna de mis pequeños. Además, no los había perdido para siempre. La vida es breve y llena de miserias. ¡Los encontraré allá!*"

"¡*Mujer fuerte!* —decía, con justicia, de ella su hermana, religiosa de la Visitación de Mans—. *¡Mujer fuerte, a quien la adversidad no abate, ni la prosperidad engríe! ¡Admirable de verdad!*"

Esta religiosa sabía por su parte mantener en alto la moral de la hermana. *"No puedo dejar de tenerte por afortunada* —le escribía a la muerte de la pequeña María Elena—, *puesto que has dado al cielo almas escogidas que serán tu alegría y tu corona. Tu fe sin vacilación y tu confianza tendrán un día magnífica recompensa. No dudes de que el Señor te bendecirá y de que la medida de tus futuros goces será la de las consolaciones que ahora te han sido negadas, pues si, al fin, la bondad de Dios satisfecha de ti, quiere darte AQUEL GRAN SANTO QUE TANTO DESEAS PARA GLORIA SUYA, ¿no deberás considerarte bien recompensada?"*

Dios, satisfecho de ella, le dio de verdad el gran Santo deseado para su gloria, y éste fue precisamente la niña confiada en Semallé al cuidado de una buena campesina.

EL RETORNO AL NIDO

El 2 de abril de 1874, Teresa, la flor del campo, volvía a ser flor de invernadero; el pintado pajarillo dejaba prados y bosques para volver al nido y ocultarse bajo las alas de la madre.

Como los demás niños amamantados por nodrizas, está convertida en una campesina que, hasta su regreso al propio hogar, nada sabe de su verdadera familia, y reserva la flor y nata de sus ternuras para la familia de adopción.

De manera que cuando la nodriza la lleva a Alenzón y la deja, para ir a sus recados y negocios, en brazos de la madre, son tantos los gritos, que toda la casa de Martín se alborota. Un día, la pobre madre, no sabiendo qué partido tomar, la hizo llevar al mercado donde Rosina, la nodriza, había venido a vender mantequilla. Ver a su Rosa, sonreírle, aquietarse y ser "buena, buena, vendiendo mantequilla hasta el mediodía con las mujeres del pueblo", fue todo uno.

La madre, que la contempla con amor y la ve tan graciosa, declara que será bella algún día, y no se engañaba. En verdad, Teresa fue hermosa, no con una hermosura fascinante, ni con la fría belleza de una estatua, sino con la hermosura de los Santos, que no es de la tierra, sino del cielo.

De su pequeña de nueve meses escribe la

señora de Martín a Paulina, alumna en la Visitación de Mans: *"Me parece muy inteligente; creo que tendrá buen carácter; sonríe continuamente y tiene la expresión de una predestinada"*. El ojo de la madre no se equivocaba. Teresa era, en verdad, una predestinada.

A los dieciocho meses la hallamos reina de la casa y aficionadísima a la madre, que nos la muestra en acto de colmarla de caricias, *"no siempre, es cierto hijas del puro amor* —dice graciosamente la señora de Martín—, *sino alguna que otra vez dictadas por sus intereses de niña"*. Se le antoja, por ejemplo, un alfiler o cualquier otro juguete, y para obtenerlo gana a la madre con caricias; será en adelante su sistema, hasta a Jesús lo ganará con caricias y obtendrá de El todo, todo siempre; le robará totalmente el corazón para constreñirlo a hacer su voluntad y llegar a ser una gran taumaturga de estos últimos siglos.

¿Quién creería que la diversión favorita de aquella santita en ciernes fuera el columpio? Pues tal era ciertamente. *"Se mantiene en equilibrio como una persona mayor* —escribe la madre—: *no hay peligro que deje la cuerda, y si el impulso no es fuerte, la pide y con ella se ata por delante para no caerse; con todo, no estoy tranquila cuando la veo remontarse tan alto"*.

Quizá aquella diversión, que la tenía suspensa entre el cielo y la tierra, sin poner pie en ella, y la mantenía en movimiento continuo, le hacía la ilusión de un vuelo incesante, y a nosotros nos da la imagen de su santidad. En verdad, toda la vida de esta dulce creatura fue un vuelo, un impulso hacia el cielo sin que sus pies tocasen en la tierra. Pero sus vuelos no fueron fantásticos y presuntuosos.

Siempre se mantuvo firme, para no caer sobre las dos virtudes de la confianza y el amor, de una confianza que todo lo espera de Quien todo lo puede y de un amor que lo da todo sin medida y hace imposible la más leve culpa.

"Ama y haz lo que quieras", decía san Agustín. Con esta confianza y este amor vivió siempre abandonada al impulso amoroso de la mano de Dios, sonriendo siempre, siempre bendiciendo y dando gracias, ya la mano divina la lance a las alturas hasta Sí, ya la deje, bajo, abandonándola en apariencia, para sumirla en la prueba y el dolor. *"Le amo tanto —nos dirá un día—, que estoy siempre contenta de lo que dice"*. Y también: *"Redoblo el amor cuando se oculta a mi fe"*.

No tenía veintidós meses cuando, con acento que sorprendía a la madre, comenzó a manifestar su amor a Jesús. La atraían tanto las funciones sagradas, que era necesario llevarla a la iglesia; había que llevarla todos los domingos a una parte de las Vísperas, por ella llamada con ingenuidad "su misa". Como un día fuera conducida de paseo en vez de ser llevada a Vísperas, no pudo en manera alguna aquietarse y comenzó a gritar estrepitosamente que *"quería ir a misa"*. Aunque llovía a cántaros, se lanzó a la calle y se puso en camino. Fue detenida, no obstante, y vuelta a casa; pero siguió largo tiempo derramando amargo llanto por su misa perdida.

Aquellos buenos padres que tanto habían temido por su hijita, no se olvidaron, viéndola hermosa y sana, de mostrarse reconocidos a Dios que la había conservado a su afecto; deber éste, con tanta frecuencia olvidado en el mundo, donde tanto se pide a Dios y tan poco se le da gracias.

El padre exteriorizó su agradecimiento en romerías, matizadas de oración y penitencia, a determinados santuarios de Nuestra Señora y en su asidua y fervorosa asistencia a la adoración nocturna; la madre hizo consistir el suyo en un acrecentamiento más íntimo de su unión con Dios y en un esfuerzo más continuado y metódico por su espiritual perfeccionamiento.

Las cartas de la señora Martín a Paulina son un encanto de simplicidad y espontaneidad, un análisis delicado y amoroso del corazón de una madre. Por su plasticidad diríase verdaderos bocetos. Veamos algunos rasgos.

Celina y Teresa son inseparables. Imposible encontrar dos niñas que se amen más que ellas. Cuando vienen a llamar a Celina para dar la lección, Teresa se deshace en lágrimas. ¡Ay!, ¿qué será de ella? Su amiguita se va... Entonces María, por compasión, se la lleva consigo. La pequeña se sienta, muy quietecita en una silla y allí se está dos o tres horas seguidas tejiendo margaritas o cosiendo un trapo. No se atreve a moverse y sólo suspira cuando se le desenhebra la aguja. No la sabe enhebrar y no se atreve a interrumpir a María. Vénsele entonces correr dos gruesas lágrimas por sus mejillas; pero María la consuela pronto: le enhebra la aguja, y el angelito sonríe entre las lágrimas".

Y en otra carta: *"Esta querida criatura es nuestro consuelo. Será buena, porque ya se le ve despuntar. No habla sino de Dios, y por nada del mundo dejaría sus oraciones. Quisiera que la oyeses recitar fabulillas. No he visto cosa más encantadora. Encuentra por sí misma la expresión y tono convenientes; en especial cuando dice:*

Dime, niño de cabellera blonda:
¿dónde crees que mora tu Señor?

—Habita en todo el mundo a la redonda—.
Y en el cielo, emporio de esplendor.
Cuando llega a estas últimas palabras, levanta los
ojos al cielo con expresión angelical. No nos cansamos
de hacérselo repetir: ¡tan hermoso es!, y ¡en sus ojos hay
algo celestial que arrebata!"

A veces aquella madre afortunada tiene ocurrencias divertidas. Hablándonos, por ejemplo, de la sinceridad de su diablillo, que siente la necesidad de confesar enseguida sus travesurillas, nos cuenta que un día en que tuvo la desgracia de romperle un vaso de valor, habiendo venido a toda prisa a confesárselo, no le pudo ocultar su disgusto. La pobre niña se marchó sollozando; mas al poco rato héla volver de nuevo para decirle: *"No te apenes, mamaíta mía. En cuanto comience a ganar, te compraré otro".* La niña tenía entonces tres años, y la madre concluye la carta diciendo a Paulina: *"Como ves, no lo recuperaré tan presto"...*

* * *

Este amor y tierna admiración no degeneraron en debilidad. El padre, vencido de las caricias, besos y gracias infantiles de la hijita, vióse inclinado en un principio a consentirla en todo. Cuando volvía, por ejemplo, a casa, su Teresita le salía al encuentro, lo abrazaba, y sentábase luego sobre uno de sus pies, y el padre entonces la llevaba por toda la casa, levantándola a cada paso, caballo complaciente, que la pequeña manejaba a su placer, silbándole para dirigirlo.

La esposa le reñía sonriendo por su facilidad en consentir en los caprichos de Teresa. *"Qué quieres —le respondía—; es la reinecita",* y la tomaba en brazos, se la echaba a las espaldas y le prodigaba caricias sin fin.

A veces, la reinecita no se doblegaba. En cierta ocasión, por ejemplo, en que se balanceaba en el columpio, pasó el padre a su lado y le dijo: *"¡Ven a abrazarme, reinecita mía!"* *"¡Quédate con las ganas, papaíto!"*, le respondió ella. Su rey entonces, como ella llamaba al padre, se alejó serio, y la reinecita comprendió que el padre es siempre rey de la familia, y como tal ha de ser siempre respetado.

Otro defectillo del mismo género. Algo de obstinación, de ambición. Las melindroserías de niña mimada se manifiestan tanto en las cartas de la madre como en la *Historia de un alma,* no sin consuelo por nuestra parte.

Y, en verdad, no supone poca animación para nosotros, pobres mortales, el ver a los Santos, desde la infancia, en lucha no siempre victoriosa con la naturaleza, que desbocada por las veredas de sus malas tendencias y de sus mil defectos, trata de ofuscar el esplendor que el alma tuvo primitivamente en la mente de Dios, y lo recuperó después en las aguas regeneradoras del bautismo.

Teresa, no obstante, privilegiada desde la cuna, elévase sobre el común de los hombres y siempre se muestra a nuestra vista como una niña perfectamente ideal.

En los postreros meses de su vida, *tocante a su infancia* —escribe la Madre Inés de Jesús—, *le refería una reflexión que me hizo la madre cuando yo era educanda: "Bien veo que para ti no tiene interés sino cuanto se refiere a tus hermanitas, Celina y Teresa, y me quiebro la cabeza para hallar novedades que escribirte, lo que es difícil muchas veces".*

"*Estoy cierta* —añade— *que mamá exageraba algunos de sus defectillos de niña para tener algo interesante que escribirme*".

A los que Teresa replicó sencillamente: "*Creo que mamá tenía razón; y es cierto que antes de los tres años ya no era necesario gritar para corregirme. Bastaba una sola palabra dicha con dulzura, y hubiera bastado una mirada para hacerme comprender y llorar mis faltas*".

Por lo demás, la madre y María jamás hubieran permitido que la naturaleza le tomase la delantera. Se industriaban admirablemente para desenvolver las espléndidas cualidades de mente y corazón que se revelaban en ella.

Ningún capricho pasábale por alto la madre, ni dejaba de manifestarle su descontento por sus defectillos de niña. Y esta conducta de la madre era para la hija, que tanto amaba, el remedio más saludable. Para no disgustar a mamá, comenzaba a dominarse a sí misma, y levantándose del pensamiento de la madre al de Jesús, el otro grande amor suyo, aquilataba sus pequeñas victorias con el oro de su amor sobrenatural.

María halló un medio eficacísimo para que Celina y Teresa triunfaran más frecuente y fácilmente de sí mismas. De educadora aprendió el mágico efecto de la práctica, en uso entre las alumnas de la Visitación de Mans, de llevar cada una un rosario especial para contar los actos de virtud. Lo mismo quiso que hicieran sus hijitas. Llamándolas a su lado les entregó sendos rosarios y logró, tras una explicación previa, enfervorizarlas de tal manera que las dos hermanas pusieron en aquella práctica de dominarse y sacrificarse tanto entusiasmo que era una maravilla. Se comprende que Teresa, de naturaleza viva y natural ardiente, hallase en ella más materia para la lucha que para la victoria. A cada instante se le veía meter la mano en el bolsillo para pasar un grano del rosario. La madre lo observaba, sonreía y daba gracias a Dios.

Sentadas en el jardín, a la sombra apacible del boscaje, contaban las niñas a porfía sus continuas victorias, sus "prácticas", como ellas decían con modestia. Lo gracioso era que no bastaban nunca los dedos ni las nociones matemáticas de Celina para sumarlas.

Cierto día, una vecina que oyó a las hermanas hablar de "prácticas" y de números, entró en grande curiosidad: con oído atento se clavó silenciosa junto a la ventana, para oír mejor el secreto de aquellos discursos. No logrando enterarse de nada, llegóse de puntillas muy cerca de las niñas, para hallar por sí misma la suspirada explicación, no bien se enteraron de ello las hermanitas, sin perder su característica sencillez ni por timidez ni por vanagloria —como hubiera sucedido en otras de su edad— no se preocuparon poco ni mucho y continuaron sus cuentas, sobreponiéndose a todo respeto humano.

* * *

Entre las victorias de Teresa ocupaba el primer plano la reprensión de los primeros movimientos de los ímpetus de desdén y, lo que es más sorprendente, el silencio resignado en medio del dolor. Sí, por amor de Jesús callaba sus indisposiciones y sus penas; y los sacrificios por ella llevados a afecto y a El ofrecidos, bien puede asegurarse que eran sacrificios de verdad.

Un día, por ejemplo, vino a casa con el rostro rojo y encendido. ¡Había corrido tanto por los campos cogiendo flores! Para comprender todo el sacrificio que luego hizo, debemos advertir que amaba las flores —como las amó hasta la muerte— con amor intenso; las amaba por su sencillez y encantadora belleza, tan en armonía con la sencilla belleza de su alma. Empleaba largos ratos en combinar las flores en macetas para adornar su altarcito. La abuela Martín, sin darse cuenta de la gravedad de su petición, se las pidió para adornar el altar de su casa. Sin excitación alguna, Teresa se las dio al punto una a una. Sólo Celina cayó en la cuenta de su gran dolor al sorprender las lágrimas que empañaban el cristal de su bellos y grandes ojazos.

Se dirá que toda niña bien educada debe hacer lo mismo. Así es en verdad; pero la obligación de ser educados no quita lo amargo del sacrificio y a nadie se ocultará lo amarguísimo que fue éste para Teresita. ¡Y pensar que sólo tenía cuatro años!...

Algunas veces, en los transportes de su amor, deseaba la muerte de la madre y del padre. Naturalmente le reñían; pero su lógica no se inmutaba. ¿No le habían dicho que el cielo es el lugar de la felicidad perfecta y que para ir a él hay que morir? ¿Qué había, pues, de extraño en su deseo? Amaba tanto a los padres que los quería felices, con la felicidad sin nubes ni sombras que solamente se halla en el cielo, y queriéndolos ver tan felices, por fuerza debía desearles la muerte, o, más bien, no la veía sino por un lado: por el de fin de las lágrimas y penas del destierro y el de la entrada en las alegrías y esplendores de la patria. Desconocía su lado doloroso, y no sabía que si el germen de la muerte lo llevamos todos desde la cuna, en su madre estaba ya muy desarrollado y a punto de degenerar en un mal inexorable, que lentamente iba minando sus fuerzas, completando en ella su labor de destrucción.

HUERFANA

EL TRANSITO DE LA MADRE

De niña, Celina había chocado violentamente contra un vehículo. El choque había provocado una hinchazón en el pecho, al principio poco dolorosa, dolorosísima después, degenerando, por último, en un tumor fibroso. La heroica mujer soportó silenciosa el mal, durante dieciséis años, sin un lamento, sin interrumpir su labor fatigosa ni omitir ninguno de sus deberes religiosos y familiares. Cuando los dolores llegaron a ser tan agudos que no pudo disimularlos, el mal no tenía remedio, dados sus desproporcionados progresos. Sólo un milagro podía curarla, un milagro por ella deseado y esperado ansiosamente por amor de los hijos; pero en los decretos divinos estaba escrita otra cosa.

Su hermana visitandina, Sor María Dositea, había muerto tísica el 24 de febrero de 1877, con una muerte santa y envidiable. Uno de sus últimos días dijo a la superiora: *"¡Oh madre mía! No sé sino amar, confiar y abandonarme. Ayúdeme a dar gracias a Dios"*. Morir así quiere decir pasar de la tierra al cielo, en cuya beatífica posesión los que nos son caros vienen a ser nuestros más valiosos abogados, ante el trono de Dios. La señora de

Martín lo sabía, y pensó pedir el milagro a la Santísima Virgen por intercesión de su santa hermana. Empeñó en la oración a las hijas, en especial a Teresita, porque las súplicas de la inocencia vuelan directas al corazón de Jesús; luego partió para Lourdes con las tres mayores.

Allí se bañó tres veces en la milagrosa piscina, sin resultado satisfactorio. *"De haber curado se hubiera redoblado mi contento, por vuestra causa"* —escribía Paulina, vuelta ya del colegio—; pero Nuestra Señora me ha dicho, como a Bernardita, *"os haré felices no en este mundo, sino en el otro. No esperes muchos consuelos aquí hija mía, pues tendrás muchas desilusiones. Por lo que a mí toca, sé la cuenta que debo hacer de las alegrías terrenales, y dado caso que no esperase gozar de la bienaventuranza celestial, me juzgaría infelicísima".*

De vuelta, su esposo, Celina y Teresa la esperaban en la estación de Alenzón.

El primero estaba triste, habiendo esperado en vano una semana el telegrama con la noticia del milagro. Las niñas no podían persuadirse de que Nuestra Señora no las hubiera oído. La señora de Martín venía radiante de alegría, como si hubiera obtenido la gracia: nuevo rasgo de su heroico abandono en la voluntad de Dios y de su generoso amor a sus seres amados, a quienes no quería afligir.

Su alegría reanimó los corazones de todos.

El mes de julio fue terrible. Los atroces sufrimientos no la dejaban descansar ni de día ni de noche. *"Mi partida se acerca* —escribe a su cuñada—; *trata de hacerlo todo como si hubiera de morir. Es necesario que no pierda nada del tiempo que me queda aún de vida. Son días de salud, que no volverán, y quiero aprovecharlos".*

Para asegurarse la gracia de la perseverancia final y dar en el postrer momento ejemplo de fidelidad a sus deberes religiosos, el primer viernes de agosto se encaminó a la parroquia por última vez, muy de mañana, para oír misa. A cada paso le parecía como si la apuñalaran; dolores indecibles la obligaban a detenerse de cuando en cuando, pero no hacía caso de ellos. En tal estado oyó misa, y del sacrificio del Calvario, que se renovaba en el altar, tomó alientos para afrontar la lucha suprema.

Dulce sonrisa bordó en sus labios hasta el fin de su vida, iluminando su callado martirio. Al comenzar las vacaciones, María tuvo la feliz idea de preparar unos festejos domésticos para confortar a los padres y alentar a las hermanitas. Oigamos cómo da cuenta de esto a su tía Guerín: *"Te aseguro que todo resultó muy bien. Había adornado mi cuarto con guirnaldas de pervincas entrelazadas con manojos de rosas. De las paredes colgaban coronas de flores; tendí por el suelo un tapete, y en él dos sillones para los que habían de presidir la augusta ceremonia: el señor y la señora Martín. Sí, querida tía, hasta mi madre quiso asistir a la distribución de premios. Las niñas vestían de blanco, y había que ver el aire de triunfo con que venían a recoger los premios y las guirnaldas. El padre y la madre otorgaban los premios y yo convocaba a mis alumnas".*

Por fin el 28 de agosto, a medianoche, la señora de Martín, la madre ideal, dejaba este mundo. Antes que sus restos mortales desaparecieran para siempre de los ojos de Teresa, el padre la tomó entre sus brazos y: *"¡Ven!* —le dijo—. *Ven a abrazar por última vez a tu mamaíta".* Sin decir palabra, la huérfana aplicó sus labios a la frente de la amada difunta.

EL MAGISTERIO DE UNA HERMANA

Una de las últimas miradas de la moribunda, ya privada del uso de la palabra, fue para su cuñada, la señora Guerín; una mirada larga, profunda, preñada de súplicas y ardientes ruegos, hijos de un corazón de madre. Ella lo comprendió sin esfuerzos, y prometió... Prometió que sería de hecho madre de aquellas sus queridas hijas.

Si toda promesa es sagrada, ¿cuánto más la que se hace en lecho de muerte, especialmente, cuando se hace que una madre que confía los hijos, como legado sublime y supremo, concentrando en su tácita súplica la angustia o la desgarra junto con la más fervorosa confianza?

Aquella mirada suplicante, aquella sagrada promesa, decidieron al señor Martín a dejar Alenzón y trasladarse con sus hijas a Lisieux, residencia de la señora Guerín, cuyo marido era dueño de una importante farmacia.

En la primera quincena de noviembre se trasladaron las cinco hermanas. El padre vino más tarde, después de ultimados algunos negocios.

"Es una casita graciosa, sonriente y alegre —le escribía María el 16 de noviembre, dándole cuenta del nuevo nido—; es una casita graciosa, con un hermoso jardín, por donde podrán Celina y Teresa correr y divertirse a su gusto. Nada deja desear, fuera de la escalinata y el *acceso a la casa... Me parece, padre mío, que nos encontrarás mucho mejor, y nosotras procuraremos ser buenas para hacerte la vida dulce, recompensándote el gran sacrificio que haces por nuestra felicidad".*

Grande, en verdad, era para él el sacrificio que hacía al abandonar Alenzón, tesoro de gratos recuerdos y de dulces añoranzas, de fieles amistades y de tumbas queridas.

Este traslado, efectuado en medio de las tristezas de noviembre, a raíz de una muerte tan dolorosa, a una ciudad melancólica como Lisieux, fue penoso hasta para las pobres hermanitas. Teresa lo sintió menos que todas, por el placer que los niños sienten en viajar.

* * *

Vimos ya a Celina arrojarse, a raíz de la muerte de la madre, en brazos de María llamándola madre, y a Teresa lanzarse a su vez a los de Paulina, dándole el mismo dulcísimo nombre.

Veamos ahora cómo cumplió la labor educadora esta hermana, criatura privilegiada, corazón sensibilísimo, inteligencia selecta, delicias de su madre, la cual le escribía el 5 de diciembre de 1875: *"Tú eres mi verdadera amiga y me das aliento para soportar con paciencia la vida. Te agradezco que hagas así la alegría de todos nosotros. Dios te recompensará en este mundo y en el otro, porque aun en éste nos sentimos tanto más felices cuanto con más generosidad cumplimos nuestro deber".*

Próxima a expirar, viéndola al lado, le había tomado con respeto la mano para besársela, como queriéndola investir de una misión maternal que Paulina debería cumplir hasta la muerte.[1]

¿Qué habría visto en aquellos últimos instantes la moribunda? ¿Le habría revelado el porvenir de alguno de sus misterios? Aquel respeto rayano en veneración, aquel sagrado beso de una madre en la mano de una hija, ¿no son todo un poema elocuente?

En la educación, en la formación de la hermana, Paulina debía seguir el sistema de la madre: gran amor sin debilidad, nobleza y profundidad de pensamientos, sentimientos y afectos, energía y virilidad de propósitos, magnanimidad en la acción.

Teresita que no tardó en aprender el abecedario, se figuraba saber bastante y en consecuencia volvió a sus juegos; pero Paulina sujetóla con mano firme al estudio. Nuestra Santa recordará siempre con alegría que la primera palabra que había logrado leer era la palabra "cielos".

Grata recompensa a la asiduidad en el estudio y a la buena nota obtenida en las lecciones, era un paseo por la tarde con el padre; pero si la nota no era buena, la recompensa se le negaba sin que nada hiciese a la maestra ceder en sus propósitos, por el padre siempre respetados, aunque mucho costase a su afectuoso corazón.

* * *

Y en todo lo demás, firmeza semejante. La pequeña, por ejemplo, era miedosa; pero Paulina, sin hacer caso de sus miedos, la mandaba de noche a las

---

1. Paulina hizo de madre con Teresa y después también en calidad de Priora con las otras dos hermanas. S. S. Pío XI la confirmó, por un Breve, en el cargo de Priora perpetua de su monasterio.

habitaciones oscuras a traer esta o aquella cosa, sin admitir réplica. Obtuvo lo que deseaba: Teresita perdió el miedo.

Otro ejemplo que revela admirablemente la generosidad que en el sacrificio sabía inspirar a la niña y el celo precoz por la salvación de las almas:

Un día la pequeña, vuelta a casa sudorosa, después de haber paseado mucho y charlado más, exclamó: *"¡Qué sed tengo, Paulina!"* Paulina aprovechó la ocasión para probar la virtud de la hermanita, y le preguntó: *"¿Y si te abstuvieses de beber agua para salvar a un pobre pecador?"* La respiración revelaba lo costoso del sacrificio. Al tierno corazón de Paulina, que sufría más que la sedienta niña por el sacrificio impuesto, bastó la aceptación, y, sin más, le sirvió enseguida un refrigerante refresco. Mas la pequeña, queriendo llevar a efecto su acto expiatorio, quedó perpleja. ¿No se perdería por ventura aquel pobre pecador? Paulina la tranquilizó, explicándole cómo además del rito de su sacrificio tendría ahora en la obediencia nuevo motivo para ayudar al infeliz.

A su caridad por las almas unía su amor hacia los cuerpos de los hermanos desventurados. Los lunes preferentemente eran los días en que los pobres venían a llamar a las puertas de la casa Martín. Teresita, que no iba como Leonia y Celina a la escuela, era el ángel que repartía la limosna, y la daba con tanta piedad en la mirada que al mismo tiempo era limosna y consuelo. Cuando un pobre le decía: *"¡Dios la bendiga, señorita!"*, corría jubilosa a contarlo a Paulina. ¡Tan altamente estimaba la bendición del pobre, que no es otra sino la de Cristo! Pero el caso no era frecuente, porque los pobres se han olvidado tiempo ha del antiguo agradecimiento cristiano formulado en el tradicional *"¡Dios se lo pague!"*

Cuando Teresa iba de paseo con el padre, cien veces llamaba a las puertas de la caridad de aquél. Y cuánta suavidad destila el recuerdo que Teresita dedicaba a los pobres en el día de su Primera Comunión; a los pobres, cuyo aire triste, cuya melancólica sonrisa llegaron a conmoverla profundamente, revelándole, quizá por vez primera, que hay dolores y miserias del corazón que no se calman con el óbolo de la limosna material. Habíanle dicho que en el día de la Primera Comunión todo se alcanza, y ella se interesó ante Dios por las necesidades de aquel pobre que, sonriendo tristemente y sacudiendo la cabeza, había rehusado la moneda que le daba con tanto amor.

¡Amable niña, cuya alma tan deliciosamente se desplegaba a los más nobles y santos ideales, y así sabía recoger en el corazón las preciosas semillas que en él ponía cada día la mano maternal de Paulina!

A la palabra cálida y eficaz de aquella hermana modelo debe Teresa su gran amor hacia las festividades religiosas, cuyo misterio con tanta inteligencia y unción le explicaba Paulina. Pero la solemnidad que más le entusiasmaba era la del Corpus, que le reservaba la alegría incomparable de derramar flores a los pies de Jesús. ¡Los pétalos de rosa que ella vestida de ángel de pureza, todo blanco e inmaculado, besaba con efusión y echaba a lo alto, considerándose feliz cuando caían sobre la Custodia, debían alcanzar tantos beneficios del Dios del amor!...

A Paulina debió igualmente la gran estima en que siempre tuvo a los sacerdotes y la viva fe con que siempre se llegó a ellos, a partir de su primera confesión. Hízola a los seis años. ¡Ah, pues ya que no podía recibir el cuerpo de Jesús en la cándida hostia, le fuera concedido, al menos, verlo reflejado en el semblante del sacerdote!... Estaba tan convencida de no confesarse con un hombre, sino con Cristo, que preguntó a Paulina si debía decírselo al confesor, hombre austerísimo, que "lo amaba con todo su corazón". Una vez que el sacerdote no era él, sino que se transformaba en Cristo ¿por qué no hacerle las declaraciones de amor que con Cristo usaba?

Al igual que Paulina, y gracias a las instrucciones de ésta, aprendió Teresa a ser clara en las ideas, sencilla en el lenguaje e irreprochable en su comportamiento. ¡Qué dulce lógica usaba al explicarle algunas verdades o hacerle comprender algún razonamiento abstracto! Una vez, por ejemplo, ocurrióle a la niña la duda de cómo podrían los elegidos ser plenamente felices, no teniendo todos la misma gloria. Difícil era a la verdad que una inteligencia de cinco años lo llegara a comprender. Pero la inteligente Paulina, valiéndose de un ejemplo práctico, hízole comprender por inducción lo que tal vez desconcierta a los doctos: Manda a Teresa que traiga el gran vaso del padre, lo pone junto al pucherito de juego de su cocina, llena ambos de agua y le pregunta cuál de los dos está más lleno.

"Los dos iguales, pues ninguno puede contener más".

Pues bien, así será en los elegidos —concluyó Paulina—; ninguno puede tener envidia del otro, llenos como están todos ellos según su capacidad. Cada uno será plenamente feliz en su esfera".

Una vez, las dos hermanas estaban a la orilla del mar, sentadas sobre una roca solitaria, contemplando una espléndida puesta de sol. El enorme disco incandescente se sumergía lentamente en el océano inmenso, y los ojos de Teresa quedaron fijos, como encantados de la estela luminosa que el sol dejaba tras sí. "Es la imagen de la gracia que ilumina la senda de las almas fieles" —explicóle Paulina—. Y la hermanita se imaginaba entonces ver a su corazón en medio de la estela, cual navecilla de blanca vela, y promete no alejarse jamás de la vista de Jesús.

* * *

¿Fructificaban las lecciones de Paulina? Sí, ¡y cuán sobreabundantes eran sus frutos!... Teresa era cada día mejor. El aire de predestinada que la madre admiró en ella a los nueve meses, se hacía visible a los ojos de todos los que por la calle se volvían a mirarla, *"no porque no haya niñas de rasgos más finos y regulares* —decía una señora—, *sino porque tiene una expresión que no es de la tierra"*. Otra, que la había visto muchas veces en la iglesia y había reparado en la fijeza con que sus ojos contemplaban el Santísimo Sacramento, dijo un día a una amiga: *"No me llamaría la atención que esta niña muriese pronto; pero si vive se hablará de ella un día como de una santa; ya lo verá"*. Sus ricitos rubios eran solicitados como recuerdo y conservados como reliquia. La niña, propensa un tiempo a la vanidad, era hoy de una sencillez encantadora, porque Paulina había sabido inyectar a grandes dosis en su tierno corazón la nulidad de todo lo que pasa, mostrándole la única realidad verdadera, que es Dios.

Esta niña, tan mística y celestial, era con todo una niña ingenua en grado sumo, que gozaba íntimamente de las alegrías de familia; que suspiraba por el jueves, día de vacaciones, en que podría juguetear a su placer con Celina, y que, aun en la práctica del bien, tenía siempre necesidad de nuevos alientos. Si por la noche, al estampar un último beso en su frente purísima, Paulina no le decía que Jesús estaba contento de ella, que la quería y que en premio la llevaría al cielo, su llanto hubiera sido inconsolable.

LA QUERIDA IMAGEN PATERNA

La labor educativa de la hermana era admirablemente secundada por la ayuda del padre. Este pasaba largas horas en el "Belvedere", terraza de la casa, donde meditaba y oraba a solas.

Sintiéndose como más cerca del cielo, Teresa seguíale apenas terminados sus deberes, contenta de estar cerca del padre. ¡Qué contraste entre el aspecto venerable del anciano y la frescura de este capullito de rosa, entre aquellos cabellos y barba, blancos como la nieve, y estos magníficos rizos de oro! Contraste digno del pincel de un artista, que a todos llamaba la atención, tanto en casa como en la iglesia y por las calles, pués el hombre venerable y el capullo de rosa llevaban retratada en sus rostros una expresión francamente ultraterrena.

Teresita lo acompañaba siempre a la iglesia, aprendiendo de él cómo rezan los Santos. Con él entró por primera vez en la iglesita del Carmen, y de él supo que detrás de las rejas había almas celestiales, dedicadas de continuo a la oración y a la inmolación por los pecadores.

Lo acompañaba a los sermones y atendía más a él que al predicador, porque la dulce expresión del padre le hablaba más profundamente al corazón.

También lo acompañaba a la pesca, pero tenía menos paciencia que él, y, después de haber empuñado breves instantes la caña, dejaba la cesta sobre la hierva y se retiraba a un verde prado, a la sombra de algún árbol, para entregarse allí a la meditación. Padre e hija entendían el lenguaje de la naturaleza, que más que otro eleva, invitándonos a expresar continuas alabanzas, acciones de gracias y muestras de amor al Creador, que supo crear cosas tan bellas. Mientras el padre aguardaba con paciencia a que el incauto pececillo picase el cebo, sus ojos, y más su corazón, se extasiaban por la naturaleza y por lo infinito. Mientras los ojos se extasiaban, el corazón gustaba la inefable dulzura del misterio de amor oculto en la creación, y los oídos se deleitaban escuchando los mil variados rumores, débiles voces que en el silencio de la campiña se hacen cada vez más perceptibles con encanto de misterio conmovedor.

Con el ruido de los árboles y el gorjear de las aves y el susurro de los insectos, llegaba a sus oídos en alas de las brisas el sonido lejano de la campana, a una con las notas de la banda de la ciudad. Una dulce melancolía inundábales entonces el alma, despertando en ella ansias incoercibles de aquel cielo para el cual había sido creada.

El encanto de la naturaleza, ora inundada de paz, ora turbada por el culebreo del relámpago o el fragor del trueno, llenábales siempre de entusiasmo. ¡Qué elocuente era para ellos el cielo estrellado! Sostenida por la mano del padre, caminaba Teresita con la cabeza levantada, fijos los ojos en lo alto, en cuya profundidad hallaba, no por alucinación, sino en realidad, escrito su nombre, ya que, en efecto, un grupo de la constelación de Orión ofrece a la vista los rasgos de una T. Por cima de aquel cielo inmenso, infinito, inmensamente más hermoso.

No sólo del ejemplo del padre, sino también de

sus palabras, ¡cuánto hubo de aprender nuestra Santa! ¿No será a él quizá a quien deba su fe profunda y su desprecio hacia todo lo terreno?

"*Si los hombres* —escribía el señor Martín— *se afanan tanto por conservar la vida en vísperas de la muerte, ¿cuál no sería su afán si hubieran de vivir muchos siglos? Igual empeño ponen en la adquisición de las demás cosas de este mundo, y ninguno para alcanzar la inmortalidad bienaventurada.*

Dios se ríe de su solicitud y conoce el momento decretado desde toda la eternidad, en que estas cosas dejarán de ser.

El divino decreto no excluye el cuidado, sino más bien la demasiada solicitud y los extraordinarios y muy absorbentes cuidados. El abate Rancé tenía razón: "En vano muge el mar y espumea con rabia, en vano las olas cabalgan rumorosas y baten la nave. Si el soplo de la Providencia hincha su vela, no puede naufragar y nada le impedirá llegar a puerto".

"*¡Oh, padre mío!* —exclamaba con ingenuidad Teresita, oyendo tan profundos razonamientos—, *¡oh, padre mío, si los franceses te oyeran hablar, te harían rey, y Francia sería afortunada; pero yo no quedaría contenta, porque entonces no serías ya rey solamente para mí!*"

VISION PROFETICA

Con frecuencia veíase obligado el padre a ausentarse de Lisieux a causa de sus negocios. En una de estas ausencias ocurrió un cosa extraordinaria.

Una tarde de verano, entre dos y tres, Teresita, que apenas contaba a la sazón siete años, asomada a la ventana de una habitación contigua a la estancia en que trabajaban sus hermanas, estaba mirando al jardín. En su alma, como en la naturaleza, todo era luz, quietud y reposo. De improviso, las hermanas oyeron gritar con voz angustiosa: *"¡Padre, padre!"* Su voz diríase empapada en lágrimas de terror, por lo que, al escucharla, acudieron a su lado. *"¿Por qué* —dijo María dominándose—, *por qué llamas al padre, que está en Alenzón?"*

Ella, conmovida, les contestó que había visto caminar por el jardín, con paso lento, a un hombre vestido lo mismo que el padre; alto como él, de idéntica talla, pero encorvado y muy envejecido. Decía envejecido, refiriéndose al conjunto de la persona, no porque hubiera visto su cara, cubierta de un finísimo velo. Le había llamado y no le había respondido, pasando de largo, como si no la oyese, y desapareciendo después tras de los pinos que separaban la calle del jardín.

Las hermanas trataron de persuadirla de que quizá la criada habría querido reírse a su costa; mas, interrogada ésta, negó con decisión. Preguntáronle si había visto a alguien. *"No, a ninguno"*, respondió. Escudriñados, en efecto, todos los rincones del jardín y de la casa, no hallaron alma viviente. No obstante, la niña sostuvo que había visto a un hombre en todo semejante al padre. Las hermanas le dijeron que no pensase más en aquello, preguntándose entre sí con angustia la explicación de caso tan insólito.

¡No pensar más en ello! Se decía pronto, mas no estaba esto en poder de la pobre niña. Muchas veces su imaginación le representaba la visión misteriosa: hubiera querido arrancarle el velo, comprender el arcano... Mas en lo íntimo de su alma, sentía que algún día se le había de revelar.

* * *

Y el día suspirado llegó por fin. Anticipemos y agrupemos aquí todos los sucesos que tienen relación con la visión profética.

En 1885 el señor Martín, cediendo a las instancias de un sacerdote de Lisieux, emprendió un viaje por Alemania, Austria, Constantinopla e Italia.

Sucesivamente, Mónaco y sus museos; Viena y la maravilla de sus puentes; Constantinopla con los esplendores de santa Sofía y el luminoso panorama, visto desde la torre Gálata, llenaron sus ojos de visiones de ensueño, cuyo encanto describe a María *"su diamante"*, y a la buena Leonia; a Celina, *"la intrépida"*, y a Teresa, *"la reina de su corazón"*, sin olvidarse de Paulina, *"la fina perla del Carmelo"*.[1]

Las más profundas impresiones las experimentó en Roma. Aquí su alma de fervoroso católico palpita

1. Afectuosos apelativos que daba el señor Martín a sus hijas.

más que en otras partes a impulsos de conmovedora alegría, y desde aquí escribe a María: *"Di a mi perla que soy demasiado feliz, y que esto no puede durar"*. ¿Era un presentimiento?

En Milán, a punto de reintegrarse a Francia, siente más vivamente que todo es vanidad y aflicción de espíritu. Siente la fragilidad de las cosas humanas y termina el viaje con una aspiración a la belleza de la patria eterna.

He aquí las breves palabras que resumen sus sentimientos: *"Todo lo que veo es espléndido, pero son todas bellezas de la tierra y nada podrá saciar mi corazón hasta no ver la belleza infinita. Pronto volveré a gozar de la íntima alegría de la familia, que es la belleza más vecina de aquella otra"*.

La impresión de felicidad excesiva experimentada en Roma, volvióla a sentir tres años después en la iglesia de Nuestra Señora de Alenzón. Era la recompensa con que el Buen Padre Dios premiaba al *justo* que generosamente le había ofrecido su *Isaac* en la persona de Teresa, hecha carmelita. Pero él prefiere el amor que da al que recibe, y si en Roma preveía el dolor al paladear las mieles de aquella excesiva felicidad, en Alenzón lo quiere, lo suplica y se ofrece a llevar la cruz hasta el Calvario.

"Hijas mías —dijo el primer día que fue al Carmen, delante de todas sus perlas reunidas—, *hijas mías, las gracias y consolaciones recibidas en la Iglesia de Nuestra Señora de Alenzón son tales que tengo hecha esta oración: ¡Dios mío! ¡Esto es ya demasiado! ¡Sí; soy demasiado feliz! No es posible ir por este camino al paraíso; quiero sufrir algo por Vos, y me he ofrecido..."* La palabra *víctima* expiró en sus labios; no quiso pronunciarla delante de sus hijas; pero el ofrecimiento había sido aceptado. Dos años antes había sufrido un ataque de

parálisis, del cual había salido bien; mas, tras su generosa oblación, un segundo y tercer ataque le disminuyeron y, al fin, acabaron por arrebatarle la lucidez de sus facultades intelectuales.

"*¡Qué prueba tan terrible es la demencia para un padre y para su familia!*" —exclama el dominico padre Petitot.

"*Es la luz, es el sol del mundo ideal que se extingue, y todo en el orden del espíritu se hunde en las tinieblas y en el caos. ¿Qué queda en apariencia del hombre, si se le quita el uso de la razón? He aquí al viejo encorvado visto por Teresa en la inexplicable visión; era el padre atacado de parálisis cerebral, el cual, con paso lento y uniforme, avanza hacia la tumba*".

¿Por qué —nos preguntamos— tal visión a una niña de siete años? La santita que Dios, proporcionando la prueba a su debilidad, la había querido disponer para el momento del sacrificio. El padre Petitot no duda en admitirlo, y aun apunta otro motivo diferente: Por la pasión del padre debía hacerle comprender mejor los misterios de profundo abatimiento encerrados en el rostro adorable de su apasionado Señor, convertido en oprobio de los hombres y abyección entre las dos visiones, la de Isaías respecto del Salvador y la de la niña respecto de su padre. Oigámosle:

"Esta visión profética relativa a aquel padre tan bueno, generoso e irreprensible, es la del justo ofrecido como víctima por culpa de sus semejantes los pecadores; y esta visión evoca, en virtud de una necesaria unión de ideas, las de Isaías sobre el siervo de Jahvé, piedra angular en que Teresa había de fundamentar su piedad.

"El hombre visto por Isaías, en la más extraordinaria de las profecías, es una víctima ofrecida en holocausto, cargada con el peso de culpas ajenas. Se ofreció porque quiso, y Dios puso sobre él todas nuestras iniquidades.

"Preguntando, no responde: *non aperuit os suum*. Su rostro está escondido y velado: *abscónditus vultus eius*. De igual manera el hombre visto por Teresa es una víctima voluntaria. No responde a su voz y tiene el rostro cubierto. La visión profética del padre y la del Justo paciente de Isaías se corresponden. Sin duda esta correspondencia, estos rasgos simbólicos impresos tan indeleblemente en la memoria de sor Teresa, la ayudaron providencialmente a penetrar el verdadero carácter del Mesías y los misterios inefables encubiertos en la sagrada Faz del Salvador. A la manera como el rostro adorable de Aquél fue encubierto durante la pasión, así la de su siervo fiel —el padre de Teresa— debía encubrirse durante los días de su humillación para poder al fin irradiar con resplandores celestiales.

"Recordemos estos preciosos datos que nos proporciona una hermana de la Santa: 'Fue en el Carmen, y en los momentos de nuestras grandes pruebas relativas a la enfermedad mental de nuestro padre, cuando Teresa se unió más estrechamente al misterio de la pasión. Fue entonces cuando obtuvo unir a su nombre el apelativo de la Santa Faz, y creo haber sido esto mismo lo que, después de su muerte, inspiró a sor Genoveva (Celina) aquella obra maestra de la Santa Faz inspirada en el Santo Sudario de Turín'".

"No lo dudamos: la visión de sor Teresa, verificada tan literal y dolorosamente[2], fue ordenada por la Providencia para hacer comprender mejor a la Santa lo que fue el Mesías paciente y redentor. Suceden

2. Al principio de la enfermedad, aquel pobre padre solía cubrirse cabeza y rostro con un paño.

estas abrumadoras pruebas para demostrar ciertas verdades sobrenaturales que, precedidas a veces de visiones proféticas, ¡cómo urgen al alma y la obligan al estudio de su profundo significado!

"El ideal de santidad de sor Teresa, no lo olvidemos, se condensa en la imagen augusta del Salvador, cuya impresión en el velo de la Verónica conmemoramos en la sexta estación del Vía Crucis; y la visión profética, de que fue favorecida a los siete años, predestinábala precisamente al culto de esta devoción. Aunque jovencita, comprendió la verdad, tan difícil de ser aceptada, de que la verdadera gloria consiste en gran parte en sufrir y esconderse.

"Podemos, pues, afirmar sin temor ni fingimiento que la visión profética del padre había orientado, desde el despertar de su razón, el pensamiento de la Santa hacia una inteligencia más profunda de la personalidad y misión de Cristo; de aquello que para los judíos fuera escándalo y para los griegos, que no quisieron aceptarlo, locura; esto es, de Cristo crucificado, símbolo de la vida del cristiano, de quien sor Teresa hizo su ideal hasta el fin de sus días".

Veremos luego cómo nuestra amadísima Santa se mostró heroica durante la larga prueba; limitémonos, por ahora, a decir que el último triunfo de aquel anciano padre, tan querido de Dios y de los hombres, lo constituyó el día en que su reinecita vistió el hábito religioso. El cielo y la tierra se unieron para festejarla; nada faltó, ni siquiera la nieve por ella tan deseada, que en aquel día inesperadamente alfombró la tierra con manto de candor.

Envuelta en el magnífico hábito de lana blanca, guarnecido de encaje de Alenzón y de plumas de cisne, Teresa, radiante de alegría, se asemejaba propiamente a una reina; pero en el último abrazo que el padre le daba, en la última bendición por ella pedida, no pensaba ciertamente en el calvario que le esperaba, en la cruz que tan presto iba a depararle el Señor.

Antes de verificarse la muerte del padre, sumergido de continuo en la noche de su apagada razón, fue llevado una vez al Carmen para dar el último adiós a sus hijas. ¡Oh, qué visita más penosa! Pero el Señor permitió para consuelo de todos que, al momento de despedirse, brillara en aquella mente oscurecida un rayo de luz, y con el índice en alto pronunció entonces, entre lágrimas, aquel padre admirable estas solas palabras: *"¡Hasta el cielo!"*

Luego, el 29 de julio, volaba aquel varón de Dios, padre de santas, a recibir la corona de los mártires, después de haber dirigido una mirada de amor y reconocimiento a Celina, su tierna y fiel enfermera.

PENSIONISTA EN LA ABADIA

Tras esta larga digresión, introduzcamos de nuevo en la escena a nuestra Santa, niña aún. Todo ha cambiado radicalmente en su vida. Desde octubre de 1881 va con Celina y su prima María Guerín al seminternado de las benedictinas de Lisieux.

Celina es ya alumna antigua. Teresa lo es nueva. La primera, vivaz, expansiva, alegre; la segunda, tímida en grado sumo, sensible en exceso, llena de sentimiento, pero de aquel sentimiento que se exterioriza con dificultad. Teresa no ha salido nunca de casa, o, si lo ha hecho, ha sido durante poquísimo tiempo y para ir a otro centro de cálido afecto, al seno de la familia Guerín. No ha tenido otro contacto que el fino, delicado y afectuoso de sus seres queridos. La aspereza, la falta de delicadeza, el trato adusto, la dureza, le son desconocidos.

Y he aquí trasplantada de repente esta delicada florecilla a campo abierto, rumoroso y agitado, cual lo puede ser un colegio de cerca de sesenta jóvenes, reclutadas entre la burguesía de la ciudad y las familias acomodadas del campo. El trasplante no podía menos de serle penoso, tanto más cuanto que desde 1877, fecha de la muerte de la madre, hasta 1886. *"Teresita atravesó un período de oscuridad* —es Celina quien habla— *y parecía que sobre los dones con que Dios la había enriquecido se hubiera corrido tupido velo. Pasaba desapercibida al mundo. A causa de tal retraimiento, su timidez era tan extrema que la traía indecisa y casi la paralizaba. Ello se prestaba a veces a desfavorables interpretaciones, no hablando casi nunca y, en cambio, dejando que hablasen siempre los otros. Sufrió por aquel tiempo continuos dolores de cabeza; pero la fuente principal de sus penas, llevadas por lo demás sin lamentarse, era la extremada sensibilidad de su corazón, la delicadeza de sus sentimientos.*

Es de suma importancia, por tanto, observar que, a pesar de su aparente debilidad, se mostró realmente fuerte en aquellos años. Y esta fortaleza no común me es dado inferir del hecho de que sus tristezas no la apartaron lo más mínimo del cumplimiento de sus deberes. Ni una vez sorprendí por entonces en ella un arrebato, ni una palabra vivaz, ni una falta de virtud. Tenía que mortificarse a cada momento y en las más mínimas cosas. Me parece que no dejaba perder ninguna ocasión de ofrecer a Dios sacrificios.

En las pruebas de su adolescencia veía la Providencia particular de Dios, que quería formarla en la humildad. 'Necesitaba una austera formación —escribe—, por cuanto no era insensible a las alabanzas'".

Dado el exceso de sensibilidad aludido, Teresa lloraba por lo más mínimo, y, cuando se le consolaba de su pena, lloraba por haber llorado; reconoce ser ésta una gran debilidad, y llama *"conversión"* al súbito cambio que en ella se operó la Navidad de 1886.

¿Cómo sucedió este cambio? Acompañada de su padre, de Celina y de Leonia, volvía Teresa a casa concluída la misa de gallo, feliz ante la idea de hallar según costumbre bajo la campana de la chimenea el famoso zapatito henchido de sorpresas. Era ya grandecita, pero para la familia era la niña mimada, la benjamina. El padre era el primero en gozarse de su infantil alegría, de sus ingenuas exclamaciones al descubrir una a una las sorpresas; pero esta vez, contra costumbre, se mostró muy desabrido, entrando este descontento muy de lleno en el orden de la Providencia.

Al salir del cuarto, Teresa oyó al padre decir a las hermanas con tono desacostumbrado y resuelto: *"Sea ésta la última vez. Es cosa demasiado pueril para una muchacha como Teresa"*.

¿Era posible que un padre tan tierno, que adoraba a su reinecita, hablase así? Era la primera vez que esto sucedía, y estas palabras le hirieron dolorosamente el corazón, pero también por primera vez Teresa halló en su debilidad fuerzas suficientes para no desatarse en amargo llanto. La buena Celina, a quien aquellas palabras habían ocasionado mayor sufrimiento que a la misma Teresa, detúvola en el cuarto, después de haberle susurrado al oído: *"No vengas tan pronto; llorarías mucho viendo los regalos delante del padre"*. No fue así. La niña, reprimiendo los latidos de su corazón, bajó con desenvoltura y empezó delante del padre, que ya había depuesto el mal humor, a extraer las sorpresas con una alegría al parecer tan espontánea, que maravillaba a Celina. ¿Qué había sucedido? Jesús, a quien se había encomendado con fervor, habíale vuelto fuerte y animosa, haciéndole reportar una hermosa victoria. En el camino del bien, el primer paso es el que cuesta, y una primera victoria es con frecuencia principio de una cadena ininterrumpida de actos virtuosos, suficiente, tal vez, para dar al alma pleno dominio de sí misma. A partir de aquel día la vida de Teresa fue una continua victoria, sintiendo siempre incoercible necesidad de olvidarse de sí y de sus cosas.

Pero antes de llegar aquí, ¡qué íntimos sufrimientos! Este triunfo de la gracia tuvo lugar en 1886 y había entrado en la Abadía en 1881, lo que supone cinco años de pena y de tormento.

* * *

Véase cómo la describe una de sus profesoras: *"Su expresión habitual, una vez enjugadas las lágrimas —demasiado frecuentes, hay que confesarlo—, era una sonrisa gentil y deliciosa. Sus maneras, dulces y amables, tierna piedad, obediencia a los más insignificantes deberes, apartamiento de juegos ruidosos y de motines, tales fueron las características de su vida de alumna, veladas, es cierto, por el exceso de sensibilidad y timidez de que hemos hablado"*. Quizá precisamente por este exceso de sensibilidad y de timidez no supieron las buenas religiosas apreciar plenamente el tesoro que se les había confiado. Por ejemplo, Teresa necesitaba ejercitarse en la oración íntima y cordial, en aquella oración que se eleva al Amado, sin estrépito de palabras, en alas de la meditación y de la contemplación.

Las fórmulas resultábanle intolerables. El libro de oraciones sobre cuyas páginas debía tener en la capilla fijos los ojos de continuo, servíale de impedimento, más bien que de ayuda, y por eso gustaba de fijar sus miradas en el tabernáculo, o de entornar los párpados para concentrarse mejor en la contemplación de Aquél que moraba en el centro de su corazón; pero entonces la voz de sus directoras interrumpía sus meditaciones y le recordaba implacable su deber.

"Teresa, inclinada siempre a la meditación, era un alma profunda y grandemente reflexiva —nos dice Paulina—. *Por mi parte la hallaba demasiado seria y aventajada para sus años"*. El ruido, el estruendo, las carreras desenfrenadas, las menudas reyertas, esto

no era para ella; pero como a las maestras no agradaba el que se anduviese paseando durante la recreación y no corriendo y brincando, acaba Teresa por uniformarse con las otras, sintiéndose oprimida por aquellas recreaciones tan opuestas a su ideal. Las hijas de la aldea, no siempre finas, sus modales con frecuencia poco corteses, su diversidad de índole y educación, las envidias suscitadas por los raros talentos de Teresa, envidias a veces mezcladas con sarcasmos, desprecios, desagravios, opresiones; la incomprensión hacia sus sentimientos, la inexacta interpretación de sus intenciones, hacíanle sufrir lo indecible y llorar amargamente —única defensa por su parte—; pero de todo ello bendecía a Dios y aceptábalo como un regalo de su bondad.

Intentó entablar amistosas relaciones con una de aquellas Hermanas, de quienes sus compañeras no acertaban a separarse; pero no lo consiguió dada su timidez. Creyó haber hallado dos amigas, que le fueron infieles. Dios no permitía que aquel corazón que El quería todo entero para Sí se aficionase a criatura alguna. Y Teresa también en esta impotencia hallará motivo para dar expresivas gracias a Jesús, pues de lo contrario, ¿dónde hubiera ido a parar si su corazón ardiente y sensible, se hubiera perdido tras aficiones terrenas?

A estas cosas, pequeñeces si se quiere, pero que, reunidas, fueron para ella un verdadero martirio, se unía otro más secreto y profundo, el de los escrúpulos, prueba terrible cuyo alcance sólo puede ser comprendido por quien ya lo haya experimentado.

¡Si al menos hubiérasele permitido disfrutar de las bellezas naturales! Pero, aprisionada en el jardín o en el severo patio de la Abadía, érale de todo punto imposible gozar de alguno siquiera de tantos espectáculos que la deleitaban agradablemente. El único consuelo que le quedaba era su regreso por la tarde al seno de la familia, de aquella familia donde hallaba calor y cariño, entre corazones queridos, allá en el suave recogido santuario doméstico, en que cifraba ella las aspiraciones más tiernas de su alma infantil. Pero aun allí aguardábale por lo menos el dolor. Un nuevo penosísimo vacío debía añadirse al que dejó la madre. Paulina, que tenía en sus manos y en su corazón toda el alma y el corazón de Teresa, iba a ingresar en el Carmen. Imposible expresar con palabras el dolor de la nueva separación, dolor renovado incesantemente cuantas veces iba la niña con su familia de visita al Carmen; y es que, como la más pequeña, no se le concedían sino tres o cuatro minutos para tratar con la hermana, corazón a corazón, y además porque en ellos no podía manifestarle ninguna de las muchas cosas que hubiera deseado referirle, porque el llanto no le dejaba hablar.

Tanta tensión y tanta pena íntima, minaron su salud. El demonio, envidioso de las futuras conquistas de Teresa, parece como si hubiera querido aprovecharse del estado de debilidad de la niña para obtener de Dios siquiera un señorío momentáneo sobre aquel organismo grácil, para agitarlo y hasta despedazarlo si el Señor se lo hubiera permitido.

UNA SONRISA DE MARIA
ENTRE LAS ANGUSTIAS DE LA PRUEBA

El señor Martín estaba en París con María y Leonia, cuando un telegrama lo llamó precipitadamente a Lisieux.

Su Teresita estaba enferma y su enfermedad era tal que los médicos no daban razón de ella, por lo cual la ciencia hubo de declararse impotente para curarla.

Dijérase que la extraña dolencia fuera hija de alguna violenta emoción. Teresa debía adquirir andando el tiempo la fortaleza del diamante, mas por entonces su delicadeza era semejante a la del lirio.

El señor Guerín no tenía aún idea precisa del profundo sentimiento y de la precoz inteligencia de su sobrinita, y una tarde, durante la ausencia del padre, hablóle largo y tendido acerca de su pobre madre. La niña lloró mucho y habló después, a su vez, con tal ingenuidad y expresó tales pensamientos, tales sentimientos, que el tío quedó vivamente impresionado. Involuntariamente había ella abierto su tesoro y mostrado alguna de sus perlas. ¡Qué revelación para el tío, tío y tutor a un mismo tiempo! En conclusión, entonces se percató de que su sobrinita, tan superior, tan inteligente y sensible, necesitaba mucha distracción. Comprendió que aquella su reserva y habitual silencio era efecto de reflexión y

57

excesivo sentimiento. Meditaba ya el modo de hacerla pasar alegremente las vacaciones, cuando al día siguiente, Teresita enfermó.

¡Qué días de angustia! Presa de continuo terror, aquella carita de ordinario dulce y tranquila, estaba demudada y extraviada la vista. Todo lo veía, todo lo oía; pero todo tomaba para ella un aspecto y una forma terrorífica. Daba gritos agudísimos, quería echarse al suelo, se golpeaba la cabeza contra el respaldo de la cama y había que sujetarla con fuerza, porque parecía a cada instante que quería quitarse la vida. Hubo ocasión en que el padre abandonó sollozando la estancia; imposible le era resistir por más tiempo el triste espectáculo que ofrecía la enferma, la cual, viendo el sombrero que él tenía en las manos, gritaba: "*¡Qué espantajo más negro! ¡Qué espantajo más negro!*"

* * *

El mal pareció calmarse el día que Paulina tomó el santo hábito. Conducida al Carmen, tuvo Teresa la alegría inefable de sentarse en las rodillas de su "mamaíta", esconderse bajo su blanco velo y volver a ser objeto, como tantas otras veces, de sus caricias maternales. Acomodada en el coche y de vuelta a los Buissonnets, fue al día siguiente presa de una crisis aún más violenta. No podían dejarla sola ni siquiera un momento, y cuando le daban la comida: "*¡Me envenenáis, me envenenáis!*" —gritaba desolada.

Ante la inutilidad de los remedios humanos, el señor Martín, lleno de confianza, escribió a la iglesia de Nuestra Señora de las Victorias, de París, para que dijesen un novenario de misas por la curación de la hija. Tantas súplicas debían conmover el corazón de la Madre celestial, de quien era Teresa, como de Jesús, la benjamina muy amada.

Un domingo María habíase ido un momento al jardín y Leonia había quedado sola al lado de la hermanita enferma, que por lo bajo no cesaba de repetir: "¡María, María!"

Acostumbrada como estaba a oírle hablar de continuo, no le hizo caso; pero Teresa púsose a gritar con más fuerza: "¡María, María!"

Esta vino, presa de una pena indecible; pero por vez primera no fue reconocida de Teresa. Murmuró unas palabras al oído de Leonia y desapareció. Leonia tomó en sus brazos a la hermanita y la acercó a la ventana, mientras María desde el jardín le tendía las manos, sonriente: "¡Teresita, Teresita mía!" También esta tentativa falló.

Los sufrimientos de Teresa en aquella lucha inexplicable no son para describirse como tampoco el martirio de María. En el colmo de la desolación entró la última en el cuarto de la enferma, cayó de hinojos a los pies de una imagen de Nuestra Señora, colocada al lado de su lecho y con el grito desesperado de una madre que pide y quiere la curación del hijo, pidió y quiso la curación de Teresa.

Leonia y Celina la imitaron, y la pobre enferma, que no podía más, se unió a ellas implorando de Nuestra Señora una mirada de piedad. Fue un grito que penetró los cielos. Vióse entonces el rostro de la niña como transfigurado, e ilumináronse sus ojos. Medio sentada en su lecho, con el codo apoyado en la almohada, con las manos estrechamente juntas, contemplaba la imagen de María, advirtiéndose clarísimamente que sus ojos veían algo oculto a los demás. Y el hecho era que de verdad, la imagen había tomado vida: Nuestra Señora había avanzado hacia la pobrecilla, mirándola largamente, mientras en sus labios florecía sabrosísima sonrisa. Dos gruesas lágrimas rodaron por las mejillas de Teresa, dichosa por haber contemplado a la Virgen bendita, y a continuación dirigió una mirada de reconocimiento a sus queridas hermanas.

¡Teresa estaba curada!

Por la tarde fue necesario correr al Carmen para contar a Paulina, solamente a Paulina, ahora Sor Inés de Jesús, el doble milagro: luego se divulgó como un relámpago. En la próxima visita las monjas acudieron al locutorio, y —¡benditas mujeres!— asediaron a la curada con una granizada de preguntas, alterando después a capricho las circunstancias de la aparición, tanto que Teresa se turbó con tales alteraciones y quedó acongojada ante el temor de haber engañado y haber dado pie a semejantes inexactitudes. Sólo algunos años después, en París, a los pies de Nuestra Señora de las Victorias, recobró sobre este punto la tranquilidad y la seguridad de la celestial visión.

RECLAMOS DE AMOR

EL PRIMER BESO DE JESUS

La sonrisa de María sirvió como de preparación para el primer beso de Jesús; entre ambos sucesos hubo, no obstante, un momento en que el mundo pareció atraerla, no el mundo corrompido, pues jamás cosa impura empañó, ni ligeramente siquiera, el candor de su alma, ni sobre esta materia experimentó en su vida tentación alguna, sino el mundo que a las almas simples e ingenuas trata de engañar bajo las apariencias de lisonjas, de alabanzas y ternuras humanas.

Después del milagro, Teresa quedó aún algo débil, y el señor Martín envióla al campo, obedeciendo a reiteradas invitaciones de familias amigas. Teresita se halló de repente en varias espléndidas granjas de ambiente mundano, rodeada de lujo, de alegría, de fiestas; admirada sin descanso, acariciada, mimada; sentíase amada y pensó un momento que el mundo era hermoso. No fue más que un momento, pues su alma, volviendo pronto sobre sí, sintió más intensa que nunca la necesidad de no pertenecer sino a Jesús y de negar su inocente sonrisa a todas las pobres sonrisas humanas.

Esta su experiencia reportóle, con todo, benéfico

efecto inspirándole un sentido profundo de piedad hacia las pobres almas ingenuas como la suya, pero menos privilegiadas que ella, las cuales se pierden, fascinadas por los falsos resplandores del mundo.

Acaeció esto en 1883; en 1884 recibió por vez primera a Jesús, y en aquel primer encuentro hízole entrega total de su alma, ligándola El con lazos indisolubles. ¡Cuánto había suspirado por este día! Pero los decretos diocesanos de Bayeux y Lisieux eran severos e inexorables respecto a la Primera Comunión.

Los niños que no tenían once años cumplidos no podían acercarse a la Sagrada Mesa. En 1883 faltábanle a nuestra Teresita dos días para cumplirlos, pues había nacido el 2 de enero. ¡Cuántas veces desde pequeña había pedido a sus hermanas que la llevasen con ellas! *Me deslizo entre los otros, me arrimo a vosotras...¡Soy tan pequeña!... Nadie se apercibirá de ello y podré recibir también yo a Jesús*.

Viendo a las compañeras prepararse para el gran acto, y sintiéndose separada de ellas todo un año por aquellos dos benditos días, afligíase vivamente, de modo que, encontrándose una vez con Monseñor Hugonín, Obispo de Bayeux y Lisieux, que se dirigía a la estación con su Vicario General, exclamó: *María, deja que me acerque a Monseñor con el fin de pedirle permiso para hacer la Primera Comunión este año*. A María le costó trabajo detenerla.

La preparación remota fue larga y asidua, facilitada, no obstante, por la sed eucarística de la niña y por el atractivo que sentía hacia las lecturas piadosas. Todas las tardes, o en el cuarto de Teresa o en el jardín, las dos hermanas —la mayor y la benjamina— pasábanse largo tiempo en dulces coloquios, afanándose el celo de María por hacer comprender a la hermanita el precio inefable del *"don de Dios"*. Mientras María la disponía de viva voz, Sor Inés de Jesús, no olvidándose de su antiguo título de *madre*, la preparaba con la oración y con un precioso librito, por ella compuesto, acerca de las divinas virtudes del Rosario de María. El librito tenía en cada página una flor con estas palabras: *"He recogido"*..., y simbolizaba las flores de mortificación que debía recoger cada día para ofrecérselas a Jesús.

Al pie, una jaculatoria, un acto de amor, místico perfume de la flor recogida. A continuación de las palabras *"He recogido..."*, *"He dicho..."*, la niña escribía cada tarde la cifra, de manera que en tres meses, la suma ascendía a ochocientos trece sacrificios y dos mil setecientos setenta y tres actos de amor.

María no quiso acceder a su deseo de dedicar cada tarde media hora o por lo menos, un cuarto de hora de intimidad al Corazón de Jesús. *"Viéndola tan piadosa —escribió a este propósito— y capaz de comprender de modo tan elevado las cosas celestiales, creo obrar bien en regularme sobre este punto con suma reserva. La dulce niña se sometió con su habitual ingenuidad, y sin sospechar lo más mínimo que se ejercitaba en una verdadera y propia oración, retirábase a un rincón de la sala, fácil de ocultarse con las cortinas del lecho, y allí, en días de vacación pasaba el tiempo pensando en Dios, en la brevedad de la vida y en la eternidad"*.

Aquel rinconcito ¿no produciría en la niña la ilusión de una celda, de la celda de su Paulina?

Los últimos ocho días de preparación los pasó entre las benedictinas, sin abandonarlas ni aun durante las noches. Fueron días paradisíacos, cuyos detalles jamás olvidó, conservando especial memoria del Gran Día, tanto tiempo suspirado, el cual amaneció para ella radiante y colmado de gracia y amor. Recordaba los besos respetuosos de las profesoras, los blancos vestidos, los cándidos velos, semejantes a copos de nieve; los cánticos conmovedores al entrar en la capilla..., y luego a Jesús en su corazón, el primer encuentro, el primer beso, la entrega total, de la efusión completa, la felicidad inenarrable, las dulcísimas lágrimas...

"*¿Por qué lloras?* —le preguntaban las compañeras—. *¿Quizá te atormenta algún escrúpulo? ¿Quizá te apena la ausencia de la madre y de la hermana carmelita...?*" No, no; no era eso. "*Nadie comprendía* —dice Teresa— *que cuando toda la alegría del cielo entra en un corazón, este corazón, desterrado, débil y mortal, no puede soportarla sin lágrimas*".

Por una conmovedora y providencial coincidencia, el día en que Teresa se unía por primera vez a Jesús Hostia, Paulina, por medio de la profesión religiosa, ofrecíase cual hostia a Jesús. Por la tarde fue Teresita al Carmen, y ambas hermanas pasaron juntas momentos de inefable alegría.

Antes de acostarse, Teresa consignó los siguientes propósitos, profundamente sencillos, con aquella sencillez característica en ella:

1. *No me descorazonaré jamás.*
2. *Recitaré cada día el "Memorare".*
3. *Trataré de humillar mi orgullo.*

Al día siguiente comenzó a acentuarse más y más su sed ardentísima hacia la Eucaristía. Antes tenía sed de Jesús porque no lo había recibido, y ahora, más que antes, porque, habiéndolo recibido, había experimentado cuán suave es el Señor.

Mas, desgraciadamente, sólo le permitían comulgar en las fiestas.

María, que no creía ultimada su tarea de prepararla para la Primera Comunión, continúo asistiéndola en las comuniones posteriores, dirigiéndole de víspera una ferviente conferencia espiritual.

Una de aquellas tardes le habló del dolor, de la parte que tiene en la existencia humana, de sus ventajas, añadiendo que quizá no la conduciría el Señor por el camino del sufrimiento. Empero, en aquella comunión precisamente, adquirió Teresa, junto con un deseo ardentísimo de abrazarse a la cruz, la certeza de haber sido oída, viéndose regalada con tales consolaciones cuales no recordaba haber experimentado jamás con tanta vehemencia.

Si había de sufrir, su debilidad necesitaba fuerza. De aquí que anhelase con toda el alma la venida del Espíritu Santo sobre ella, acompañado del divino cortejo de sus dones y frutos.

¡VENI, SANCTE SPIRITUS!

"Teresa recibió el Sacramento de la Confirmación el 4 de junio de 1884 —escribe Celina—, y los pocos días que le precedieron se me han impreso particularmente en la memoria. Ella, de ordinario tan serena, no era la misma, transparentándose en su exterior una especie de entusiasmo y de santa embriaguez. En uno de los días del retiro preparatorio, le manifesté mi sorpresa de verla en tal disposición, y ella me explicó entonces su modo de comprender la virtud de este Sacramento, hablándome, además, sobre la toma de posesión de todo el ser por obra del Espíritu de Amor. Había tal ardor en sus palabras, tal fuego en sus ojos, que yo misma quedé sobrenaturalmente impresionada de ellos y la dejé sobremanera conmovida. Fue tal la impresión, que aun ahora paréceme ver su gesto, su expresión, el lugar que ocupaba. Es un recuerdo que no se borrará jamás de mi memoria".

El Espíritu descendió sobre ella con toda la efusión de sus dones, efusión que alcanzó su máximo esplendor cuando entró como carmelita.

Disponiéndola para un íntimo y no lejano martirio, el Espíritu de fortaleza convertirá su delicadeza y sensibilidad en energía magnánima y heroica. Audaz en los deseos y en las obras, sabrá ser intrépida bajo el velo de la simplicidad, de la pequeñez y de la sonrisa, afrontando todo obstáculo, soportando todo dolor.

Sabrá un día, con el don de la sabiduría, indicar a las almas una nueva vida, vida de salud, segura, rápida, recta; sabrá con el don de consejo, mantenerlas en dicha vida con el Evangelio amorosamente apretado entre sus manos.

Su Santidad Pío XI le atribuirá el don de sabiduría *"en grado excepcionalísimo"*. Dirá que el Espíritu de verdad le descubrió y enseñó lo que suele de ordinario ocultar a los sabios y prudentes y revelar a los humildes, y la llamará *"palabra de Dios"*. ¿Puede existir por ventura algo más hermoso aquí abajo? Es un gran Pontífice, es el Vicario de Cristo quien así llama a esta niña, proponiéndola como modelo a la cristiandad entera.

Guiada por la magnificencia del don, Teresa obrará con la intuición característica del genio, que, ayudado de la gracia, ejecuta espontáneamente obras prodigiosas, admirables. Así, sin haberse trazado plan alguno, sin adaptar su espíritu a reglas literarias o artísticas, escribía un libro que es una obra maestra, llena de poesía e inspiración; pintará cuadros tanto más prodigiosos cuanto menores habían sido los estudios de Teresa en cuestiones de dibujo y pintura.[1]

El don de amor ocupará en ella el lugar del de temor, o mejor, el amor implicará el temor, aquel temor que es delicadeza de alma pura, que siente como por impulso y no tolera en sí la más mínima motita de polvo.

1. Cierto día trataba el señor Martín con María acerca de la oportunidad de hacer instruir a Celina en el arte del dibujo y de la pintura. Volviéndose a Teresa preguntóle si acaso también ella lo deseaba. La niña, que moría de deseo, estaba a punto de prorrumpir en un arrebato de alegría; pero María atajóle declarando al padre que no la veía suficientemente dispuesta. El padre no insistió y Teresa calló resignada hallando para ello fuerza en su fino amor a Dios y en su ardiente sed de sacrificio.

Es el amor que no se anda en contemplaciones cuando se trata de cosas que disgustan a Dios, sino que todo lo excluye y lo esquiva todo, hasta la más leve sombra de mal; es el amor que trata sin descanso de perfeccionar un don que es total y continuo.

* * *

En todo hallará motivos para dedicarse a la oración esta alma enamorada esta fuerte y suave criatura que se abandona en los brazos de Jesús, que reposa sobre su Corazón escuchando siempre sus latidos, intuyendo siempre sus deseos por efecto del don de piedad, instinto sobrenatural que obra espontáneamente y obliga al alma a rogar y a orar con la misma ingeniosa naturalidad con que la abeja fabrica la miel y el pájaro el nido.

Todo la conmoverá, todo la elevará, todo la llevará a Dios; la contemplación de una flor, la belleza de la naturaleza...¡todo!

Una vez, por ejemplo, hacia el fin de su vida, mientras se paseaba penosa y lentamente por el jardín del Carmen, apoyada en el brazo de Sor Inés, su Paulina, sorprendiendo una hermosa gallina blanca en acto de recoger bajo sus alas a los polluelos, rompió la Santa a llorar copiosamente.

¿Por qué? Imposible decirlo inmediatamente a la hermana, que afectuosa, se lo preguntaba.

Vuelta a la celda, le explicará todo su pensamiento: Aquel espectáculo trájole a la mente la idea de la inmesa ternura del Salvador, que se valió de aquel dulce símil para indicarnos la firmeza de su amor: *"Como la gallina cobija bajo las alas a sus polluelos, así Yo..."*

Y piensa con infinito reconocimiento que siempre se ha cobijado ella bajo las alas de Jesús...

* * *

Si había sentido la necesidad del Espíritu Santo para luchar aguerrida y para sufrir sin desmayo, sintió también la de refugiarse bajo el manto de María, porque el mundo le daba miedo: temía sus alabanzas y lisonjas.

Las alas maternales le fueron más necesarias cuando, con motivo de sus continuos dolores de cabeza, obligóla el padre a abandonar la Abadía y a ir dos veces por semana a tomar lección a la casa de una respetable señora.

En aquella sala, amueblada a la antigua, "la respetable señora" recibía a sus amistades, mientras Teresa, clavada en su puesto, estudiaba con atención. Pero la atención no le impedía oír muchas cosas que mejor hubiera sido no decirlas, y, entre ellas, muchos piropos elogiando ya a ella misma, ya a sus bellos cabellos y a su hermoso rostro.

Temió entonces de su debilidad. Comprendió las almas que el mundo seduce por este medio y pidió ser admitida entre las Hijas de María de su colegio. Allá iba a las reuniones y a las horas de trabajo que señalan los estatutos de la Congregación; pero lo hacía tan sólo por amor de María, sin respeto humano alguno, sin tener amistad particular alguna, ni con alumnas ni con profesoras. Terminado su quehacer marchábase a una tribuna, que daba a la iglesia, y allí pasaba el tiempo con su único amigo, Jesús. Y esto, no porque a veces no le amargara la soledad del corazón, ya que para confortarse tenía necesidad de repetirse a sí misma estas palabras que, en más de una ocasión había oído cantar al padre:

"El tiempo es mi navío, no mi mansión..."

Por aquella época pidióle Jesús un nuevo sacrificio. María siguió a Paulina al claustro carmelitano, pareciéndole que Teresa era ya lo suficientemente fuerte para gobernarse por sí misma. Pero Teresa, que padecía de escrúpulos y hallaba grande alivio en confiárselos a María, sintió más que nunca la amargura de esta separación.

¿Qué sería sin ella? ¿A quién se confiaría? ¿Quién la guiaría por tan espinoso camino? Pensó entonces en volverse a sus cuatro hermanitos del Cielo, cuatro angelitos, ciudadanos ya de la patria, y en cambio del afecto que les hubiera profesado de haber vivido a su lado, les pidió que le alcanzasen la paz del alma, manifestándoles así que también en los cielos se sabe perpetuamente amar. Inmediatamente se sintió escuchada e inundada de paz y alegría.

ANSIAS DE APOSTOLADO

Rotas las ligaduras de los escrúpulos y de su gran sensibilidad que la replegaba dentro de sí, Teresa, libre de todo embarazo, se convirtió en apóstol.

¿No es quizá ese eterno mirar por uno mismo lo que inutiliza en gran parte la Pasión de todo un Dios y apaga en los corazones de muchos el ansia de apostolado?

Los comienzos del apostolado de Teresa fueron muy modestos. A los mendigos que venían los lunes a pedir limosna, a las pobres niñas que acudían a ella para que las instruyese, a las sirvientas de su casa o de la casa de Guerín, hablábales de la bondad y misericordia de Jesús con palabras que movían a la correspondencia.

Recordando aquellos tiempos escribía: "*!Qué compasión me inspiraban las personas obligadas a prestar a otros sus servicios! Tocando con la mano la desigualdad entre patronos y obreros, decíame yo: ¡Qué prueba, qué confirmación tan magnífica es ésta de la existencia de un paraíso donde cada cual ocupará un puesto correspondiente a su mérito! Y los pobres y pequeños, ¡cómo se verán recompensados por las humillaciones sufridas en la tierra!*

Preparó después algunas niñas para la Primera Comunión, y por fin se dio de lleno al apostolado redentor. Véase cómo sucedió esto:

Para aquella purísima alma, habituada al recogimiento, nada era pequeño, nada insignificante; en todo oía la voz de Dios, en todo veía su mano y todo le revelaba su divina voluntad.

Al cerrar una mañana, después de misa su devocionario quedó algo fuera de las páginas una estampa de Jesús Crucificado, asomando tan sólo una de sus manos divinas perforadas y manando sangre.

Aquella mano traspasada, aquella sangre menospreciada, impresionáronla vivamente y le inspiraron nuevos sentimientos. Pensó en aquel precio de nuestra salvación caído en tierra y recogido por tan pocas almas, e impresionada por este pensamiento, formuló la promesa de no apartarse del Calvario, para recoger aquella sangre divina y derramarla sobre las almas.

¡Qué bella misión! ¿No había sido ésta la ocupación predilecta de una santa María Magdalena de Pazzis, de una Madre María de Jesús, fundadora de las Víctimas del Sagrado Corazón, y de tantas otras almas santas?

¡Una sola gota de aquella sangre divina, derramada con tanto amor y con tanto dolor, podría salvar mil mundos, y, no obstante, ser objeto tantas veces del desprecio y del desamor de los hombres!...

¡Y cuántas almas que no ven ni sienten el beneficio de la redención viven en pecado y mueren lejos de Dios..., porque nadie se ha acordado de recoger aquella sangre divina y de ofrecerla al Padre celestial por su salvación!...

* * *

El Señor mostró al punto a Teresa cuánto le agradaba el conato que ponía en impedir que fuese vana su pasión, y le reveló un medio sumamente conmovedor.

En aquella primera quincena del mes de junio de 1887, comentábanse en Francia las odiosísimas circunstancias que, en París, calle Montaigu, habían acompañado al asesinato de dos mujeres y una niña.

El asesino era un italiano llamado Pranzini.

La hora del castigo iba a sonar, sin que el infeliz diera ninguna señal de arrepentimiento; antes bien rechazaba con descaro todo auxilio espiritual. Teresa Martín sintió pena indecible: ¡morir en el patíbulo!..., y ¿luego? ¡Luego una eternidad de dolor! ¡Oh! ¡No, no era posible! El Señor no podía permitirlo. A cualquier trance debía devolverle aquella alma; quería salvarla ella, joven de quince años, desconocida del asesino, tan alejada de él...

Puso para el efecto todos los medios espirituales que estaban a su alcance, y sabiendo que por sí nada podía, hizo suyos los méritos y la sangre de Jesús, y los ofreció al Padre por la salvación de aquel desventurado.

No dudó un instante de que su oración sería oída, y con su ingenuidad habitual se lo dijo a Jesús; pero le pidió, pues se trataba de su primer pecador, una señal, una simple señal que la certificara de la gracia obtenida.

El señor Martín refería gustoso a sus hijas los sucesos del día para impedirles leyeran ellas los periódicos. En caso tan excepcional, Teresa no

73

creyó desobedecerle para dirigir una ojeada al diario católico *La Croix* para hallar la señal pedida. En el número del 1o. de septiembre, la halló, en efecto, magnífica y luminosa:

"Al despertar, el condenado es conducido a la cancillería, donde Deibler y sus compañeros esperan el momento en que el reo les sea entregado.

Traénselo, rapados los cabellos, recogido el cuello de la camisa y maniatado. A las cinco menos dos minutos, cuando los pájaros cantan en los árboles de la plaza y un murmullo confuso se alza de la multitud, suena la orden: '¡Fuera los sables!' Se oye el crujir de las armas; brillan las espadas; se abre la puerta de la prisión, y el asesino, con la cara lívida, aparece en el umbral.

El capellán se le pone delante, intentando ocultar a sus ojos el patíbulo que los ayudantes de Deibler sostienen; mas él aparta al capellán y a los verdugos y helo allí delante de la guillotina.

Empújale Deibler y le arroja sobre el macabro artefacto; uno de los satélites aférrale por la cabeza y lo arrastra bajo la cuchilla, continuando sujetándolo fuertemente por los cabellos. Antes de la ejecución, quizá un relámpago de dolor y de contrición ha herido la conciencia del infeliz, que implora del capellán el Crucifijo y lo besa con efusión tres veces consecutivas.

Cuando ha caído la cuchilla y uno de los ayudantes del verdugo ha tomado por una oreja la pobre cabeza separada del tronco, nos decimos nosotros en nuestro interior que, si la justicia humana ha quedado satisfecha, quizá aquel último beso habrá satisfecho también la justicia divina, que sobre todo pide dolor y arrepentimiento".

Así hablaba *La Croix*. Teresa, no inquirió más y se retiró a su cuarto. Las lágrimas traicionaban su conmoción. Había pedido una señal y la había obtenido. De las llagas del Salvador, de la sangre que de ellas brota, le había venido la sed de almas, y en aquellas precisamente se posaban, en el momento del dolor supremo, los labios de su primer hijo.

Esto suponía ganar por entero para el apostolado el tierno corazón de Teresita.

Desde aquel día sintió siempre resonar en el fondo de su alma el angustioso sitio de su Jesús, que, cuando más trataba de apagarlo, más ardiente se le tornaba. Era un intercambio de amor: ella ofrecía a las almas la sangre de Jesús y a Jesús las almas con aquella sangre refrigeradas.

Pranzini fue *"el buen ladrón"* de Teresa.

Era un italiano; no ciertamente una gloria para Italia, como tampoco Dimas, *"el buen ladrón"*, lo fuera para Israel; pero fue una gloria para el Maestro Divino, una gloria para la Iglesia. "Hoy estarás conmigo en el Paraíso", y basta.

Teresa no abandonó jamás a su Pranzini, y cuando ingresó en la Orden carmelitana y sus parientes le dieron algunas limosnas, pidió siempre a la Madre priora que hiciese aplicar una misa en sufragio de aquel su primer hijo, "quizá necesitado, dada su vida criminal y pecadora".

¿Qué lección para nosotros! Nuestros difuntos padecen en el purgatorio, y nosotros los olvidamos y abandonamos tan fácilmente, sin pensar que entre la tierra y el cielo está el juicio y la expiación y que el juez es un Dios misericordioso y justiciero a la vez.

VEN, ESPOSA DE CRISTO

AUDI, FILIA

Pero, ¿cómo, dónde podrá Teresa ejercer mejor su apostolado, saciar la sed que la devora de cooperar a la salvación de las almas?

Esta es la pregunta que, llegada a este punto de la vida, se plantea ante la mente de Teresa. Su fe y su amor sugiérenle las vocaciones de misionera, de hospitalaria, de auxiliatriz del sacerdote en las obras parroquiales, y al sugerirle hacen palpitar dulcemente su corazón. Pero una voz interna le dice también que aquel género de vida, en que a una oración incesante se une una mortificación jamás interrumpida, que conduce a la entera inmolación de la naturaleza, es precisamente la que da satisfacción más cumplida al sitio del divino Salvador. Es la vocación carmelitana, en una palabra, es la de su Paulina y la de María.

"La sierva de Dios me confió —escribe Celina (Sor Genoveva de la Santa Faz)— *el por qué de sus preferencias; era para sufrir más y ganar así mayor número de almas para Cristo. A su juicio resultaba mucho más duro para la naturaleza trabajar sin ver el fruto de las propias fatigas, trabajar sin estímulos ni distinciones, y trabajar en la labor más penosa de todas, en la labor de vencimiento propio y propia superación".*

"*Esta vida de muerte, más fructuosa que ninguna otra para la salvación de las almas, era la que Teresa quería abrazar, ansiando, como decía, 'encarcelarse cuanto antes para proporcionar a las almas las bellezas del cielo'*".

"*En suma, fin especialísimo suyo, al entrar en el Carmen, fue el rogar por los sacerdotes e inmolarse por las necesidades de la Iglesia*".

Sin incitación alguna humana, sin la ayuda siquiera de un director espiritual, la máxima de san Juan de la Cruz de que "*el menor movimiento de amor de Dios es más útil a la Iglesia que todas las obras juntas*", fue para Teresa el principio directivo de su porvenir, y por ello resolvió dirigirse a donde pudiera darse más de lleno, primeramente a Dios, y después, indirecta pero eficazmente al prójimo.

* * *

El germen de esta vocación, halló ella en los albores de su infancia.

Siendo alumna su hermana, entonces crecida y alejada de la familia, donde hacía alguna que otra aparición en el curso del año, llegó a ser para las pequeñas algo sagrado y grande. Tal acaecía con Teresa. Pensaba siempre en Paulina, y al ser interrogada, cuando apenas comenzaba a balbucear las primeras palabras, en qué pensaba, respondía invariablemente que en Paulina.

A los tres años, o quizá siendo aún de menor edad, al oír que aquella amadísima hermana iba a ser monja, pensó: "*También yo seré monja*". Pero, ¿qué eran las monjas para la pequeñita? No lo sabía ella misma.

De mayor oyó hablar de los antiguos ermitaños, de los monjes austeros que pasaban la vida en silencio, alternando la oración con el trabajo manual y se le encendió el corazón en deseos de imitarlos. Secundada por su prima María Guerín, casi de la misma edad que ella, puso manos a la obra.

Las dos pequeñas parcelas que en el jardín les habían señalado para que las cultivasen, fueron para ellas, sus eremitorios..., y mientras una oraba, la otra trabajaba la tierra. ¡Con qué penetración se daban a esta imitación que sin duda deleitaba a los ángeles! Además, María y Teresa conservaban su austeridad y recogimiento aun fuera del desierto del jardín paterno, tanto que atravesaban las calles de Lisieux como dos anacoretas.

Un día, en un acceso de fervor, cerraron ambas los ojos, y acaeció lo que fácilmente era de suponer.

Después de darse un rato el gusto de caminar a ojos cerrados, estrechamente agarradas de la mano, chocaron contra un montón de cajas, adosadas a la puerta de una tienda, e hiciéronlas venir a tierra con estrépito. El tendero salió fuera hecho un torbellino, y la prima mayor, Juana Guerín, que las seguía a poca distancia, comenzó a reñir a las locuelas, pero las fervorosas ermitañas no la oían: con los ojos desencajados de susto y faldas recogidas habían huído a todo correr y..., adiós gravedad...

No mucho después Teresa oyó a Paulina y a María que hablaban entre sí del Carmen.

¿Qué podía ser el Carmen a los ojos de Teresa? Paulina le describió la vida del claustro, sus austeridades y renuncias y también de la infinita dulzura con que el Divino Maestro regala a las almas elegidas que lo dejan todo por Él.

Teresa lo conservaba todo en el corazón, procurándose luz para el porvenir.

Una tarde, por último, comprendió con claridad suma, gracias a una súbita inspiración, que el Carmen era precisamente aquel *"lejano desierto"* con que tantas veces había soñado; comprendió que aquel sería su refugio para siempre, y lo sintió con tal intensidad *"que en su pensamiento no quedó margen para la más mínima duda"*.

Una vez que Teresa experimentó tan a lo vivo la intensísima necesidad de darse a las almas, vaciló un poco en la elección del lugar donde debería desenvolverse su apostolado; pero, decidida pronto por el Carmen, no pensó ya más que en su ingreso, que debería efectuarse a los quince años, la bella edad sonriente entre la infancia y la juventud, la edad en que todo es poesía y entusiasmo, simplicidad y candor; a los quince años, por Navidad en el aniversario de lo que ella llamaba su conversión.

También Celina se sentía llamada al Carmen, y ¡qué dulcísimas horas pasaban juntas las dos hermanas en el "Belvedere", tratando del único objeto de su amor, *"de su ideal, de la vida carmelitana, de la felicidad de la visión beatífica"*...

CONSENTIMIENTO HEROICO

Pero entre Teresa y el Carmen había un obstáculo humanamente infranqueable: el padre anciano.

Teresa temblaba ante la sola idea de hacerle la gran revelación y exigirle el tremendo sacrificio. Tenía sesenta y cuatro años y estaba muy achacoso.

Quien haya sufrido un ataque de parálisis está siempre bajo la amenaza de que se repita el pavoroso accidente; y el señor Martín lo había sufrido una vez. Además, pescando en cierta ocasión habíale picado en el cuello un insecto venenoso, y de resultas de esto formósele una pequeña excrecencia, que hubo de causarle nò pocas molestias imposibles de calmar con los más distintos remedios.

¿Debía dejarlo en aquel estado, ante tan dolorosas perspectivas, ella, la reinecita de su corazón? ¡Pobre Teresa! ¡Qué lucha más atroz la de su alma! Y pasaban los meses... Navidad estaba a las puertas, el Señor parecía empujarla continuamente... y la reinecita no se atrevía a hablar.

Pentecostés es la fiesta de la luz, de la fuerza y de la alegría; luz, fuerza y alegría que preparan al martirio. Teresa escogió aquel día como el más apto para manifestar su propósito. Por la mañana rogó intensamente al Espíritu Santo, y a los Apóstoles, trocados de tímidos y débiles en magnánimos y fuertes, y bajo el influjo de este soplo del Espíritu de amor, al caer la tarde decidióse por fin a hablar.

La escena es de las más conmovedoras que puedan imaginarse. Celina, la única que, bajo el impulso de una verdadera inspiración y al conjuro de sus recuerdos, ha sabido hacer revivir en el lienzo a su Teresita, nos describe parte de esta escena con corazón de hermana, con pincel de artista.

El padre ha vuelto de vísperas. Está cansado y se ha sentado a la entrada del jardín. Su cara aparece más luminosa que de costumbre, y sus manos, juntas en acto de profunda oración, revelan la inmensa dulzura que inunda su alma de contemplativo.

En aquella deliciosa tarde admira la belleza de la naturaleza, triunfante bajo el sol de mayo, mientras los últimos rayos de una espléndida puesta de sol doran las copas de los árboles, y los pájaros depositan en el aire puro, como oración postrera de la tarde, su adiós al día que acaba.

Teresa contempla la cara del padre y piensa que es ella precisamente la que va a turbar tanta serenidad. Siente que las lágrimas asoman a sus ojos, pide el auxilio de lo Alto, y, muy despacito, se llega al anciano y siéntase a su lado.

¡Pobre hija! Ve y siente la mirada del padre, que busca en sus ojos el motivo de las lágrimas; lo ve que, tomándola de las manos, la atrae a su corazón, diciéndole con tristeza conmovedora: "*¿Qué tienes, reinecita mía? ¡Dímelo!*" Y levantándose como para disimular su emoción, comienza a pasearse de aquí para allá por el jardín, teniéndola siempre apretada contra su corazón.

Así, entre raudales de lágrimas fue como Teresita le reveló su gran secreto: quería entrar en el Carmen a los quince años.

El primer golpe fue tremendo para el pobre padre. En lontananza vio su hogar desierto, su casa vacía, su vejez abandonada. Sintió más que nunca que Teresa era la reinecita de su corazón, y su alma fue despedazada por la angustia más cruel... ¡Y lloró!...

Aquellas lágrimas eran el tributo que aquel padre abnegado pagaba a la naturaleza. ¿Por qué abandonarlo tan pronto? ¿No era una niña demasiado joven para dar un paso semejante? Pero prevaleció su fe. Su alma cristiana se sobrepuso a los sentimientos de la naturaleza, y acaso en aquel momento se acordó de los primeros años de matrimonio, esmaltados con las súplicas incesantes de su esposa: *"¡Señor! Dame muchos hijos, y que todos se consagren a Vos en este mundo!"*

Pronto se dejó convencer por las razones expuestas con tanta eficacia por su hija y prometió ayudarla cuanto pudiera para realizar su sueño. Acercándose a la pared, arrancó una planta, con dos florecillas semejantes a lirios en miniatura, y dándosela a Teresa con raíz y todo, le habló del amor con que Dios había hecho crecer aquella planta, cómo la había refrescado con el rocío, regado con la lluvia del cielo, calentado con los rayos del sol, velando amoroso sobre ella hasta aquel día.

En la historia de la florecilla blanca, Teresa creía escuchar su historia, y, ciertamente, era su historia lo que quería recordar aquel padre santo con alma de poeta.

Teresa tomó la planta, dejóla secarse y la pegó a una cartulina, conservándola como dulce recuerdo. Nueve años después, próxima a la muerte, hizo notar a una de sus hermanas que el tallito de la planta había sido tronchado cerca de la raíz, viendo en ello como una señal inequívoca de su fin inminente.

LLUEVEN DIFICULTADES

Entre todas las dificultades, la que a simple vista parecía la mayor resultó de hecho la menor, dada la virtud heroica del señor Martín.

Precisaba tratar del asunto con el tío Guerín, tutor de la jovencita después de la muerte de la madre; éste se sintió contrariado, diciendo: *"Sería una locura, un escándalo que soliviantaría la crítica de toda Francia".*

Teresa lloró, y el señor Martín abogó en la causa con ardor, dejando estupefacto al cuñado, sin que por ello cambiara, no obstante, de ideas. Declaró que se opondría con todas sus fuerzas al proyecto de la sobrina y que sólo un milagro le doblegaría.

Teresa recurrió, como de costumbre, a la oración; mas por tres días la inflexibilidad del tío le dio la impresión de que estaba abandonada del cielo y de la tierra. El cuarto día, empero, habiendo vuelto de nuevo a casa Guerín, ¡cuál no sería su sorpresa al encontrar a su tío del todo cambiado! Abrazándola con ternura maternal, exclamó éste: *"El milagro no es necesario. He pedido al Señor que doblegara mi corazón; lo he obtenido, y te digo que vayas en paz, querida niña; eres una florecita privilegiada que el Señor quiere para Sí, y ciertamente no seré yo quien se oponga a tus planes".*

El segundo obstáculo estaba superado. Pero ¿qué pensaban en el Carmen de su deseo? María (Sor María del Sagrado Corazón) lo juzgaba imprudente; Paulina lo apoyaba; lo había apoyado siempre, hasta el punto de aconsejar a Teresa, todavía niña, que lo confiase a la Priora, a la Madre María Gonzaga, la cual, si bien la había animado a conservar en el corazón tan buen deseo, había respondido, con razón, que no podía aceptar una postulante de nueve años; pero ahora, suspiraba por tenerla junto a sí.

Otras monjas se oponían a ello con energía. La oposición mayor venía, con todo, del canónigo Delatroëtte, superior del Carmen de Lisieux, hombre rígido y austero.

Una tentativa de la Priora para doblegar su ánimo, salió fallida. Pensó en una segunda, interponiendo el valimiento de la fundadora del Carmelo de Lisieux, la Madre Genoveva de Santa Teresa.

Esta santa y humanísima religiosa, recluída en la enfermería a causa de su edad y achaques, defendió de buen grado la causa de Teresa, ¡Más le valiera no haberlo hecho! El inflexible superior montó en cólera y... *"¡Duro con esa muchacha! —dijo—, al oíros, diríase que la salvación de la comunidad dependiera del ingreso de esa rapazuela. El esperar no daña. Que se quede en casa con el padre hasta su mayor edad. ¿Creen ustedes que yo obro así sin haberlo antes consultado con el Obispo? No se me hable más de este asunto".*

¡Quién después de esta escena, osaría volver de nuevo a la carga! Teresa, no obstante su nativa timidez, se atrevió a presentarse, acompañada del padre; mas, por toda respuesta, sus súplicas no obtuvieron más que un no, tan seco y resuelto que no admitía réplica alguna; *"con todo* —añadió el inexorable superior, acompañando a sus visitantes hasta la puerta—, *yo no soy más que el delegado de Su Excelencia, y si él lo permite, yo no tengo nada que oponer".*

Como el náufrago se aferra confiado a cualquier tabla, por débil que sea, Teresa se aferró a estas palabras que derramaban en su espíritu un rayo de luz y de esperanza.

Vedla, pues, el 13 de octubre de 1887 ante el Obispo de Bayeux. Sentada frente a Monseñor Hugonín, harto incómoda en una poltrona monumental, expone su deseo con toda la elocuencia posible.

Dada su timidez, Teresa había franqueado los umbrales de aquel palacio latiéndole fuertemente el corazón.

Encontrándose con el Vicario General, Monseñor Reverony; muy sorprendido de tal audiencia, y no ciertamente propenso a favorecer el asunto de que se trataba, Teresa quedó con los ojos llenos de lágrimas: *"¡Oh!* —dijo el Vicario—. *Veo diamantes..., pero es necesario que no los vea Monseñor".*

Por primera vez en su vida, Teresa había recogido los bellos rizos blondos que le ondeaban sobre la espalda, en la esperanza de que la tomasen por de mayor edad; pero no lo consiguió, porque su graciosa carita la denunciaba a leguas, mostrándola a todos como una adolescente. Esperaba que el padre tomase la palabra delante de Monseñor; pero él se la cedió y, haciéndose gran violencia, acertó a explicarse clara y eficazmente.

—¿*Desde cuándo sientes vocación?* —preguntóle el Obispo.

—¡*Oh!, hace ya muchos años, Monseñor...*

—¡*Bah! No podrá hacer más de quince* —interrumpió el Vicario, presente a la audiencia.

— *Sí, pero habrá que restar muy pocos, porque anhelo entregarme a Dios desde los tres"*.

Creyendo agradar al padre, intentó el Obispo de disuadirla de su propósito; pero ¡cuál no fue su sorpresa viendo que el señor Martín se ponía de parte de la hija y le declaraba que, habiendo de ir a Roma con la peregrinación diocesana, no dudaría en hablar al Santo Padre, si antes no había obtenido el anhelado consentimiento.

Antes de pronunciar la última palabra, Monseñor Hugonín necesitaba hablar con el superior del Carmen. Al oír esto, Teresa perdió toda esperanza. ¿No era el canónigo Delatroëtte su más irreductible adversario?

Sin tener en consideración las recomendaciones del canónigo Reverony, no sólo mostró Teresa los diamantes de sus lágrimas a Monseñor, sino que las derramó con profusión. El buen Monseñor Hugonín se conmovió tanto que, tomándole la cabeza entre sus manos, la acarició como no había acariciado jamás a niño alguno: *"No se ha perdido todo, querida niña; no se ha perdido todo* —le dijo—. *Estoy contento de que vayas a Roma con tu buen papá, porque este viaje reforzará tu vocación. En vez de llorar, debías alegrarte"*.

Le prometió una respuesta que le alcanzaría quizá en Italia, y luego la acompañó hasta el jardín, donde paternalmente la despidió.

Teresa estaba deshecha en lágrimas, y el cielo lloraba con ella. El firmamento estaba encapotado... Llovía desatadamente...

El cielo de Lisieux estaba triste como el alma de Teresita.

EN ROMA

Y llegó a Roma.

Cuando el grito de los entusiastas peregrinos: *"¡Roma! ¡Roma!"* atronó los andenes de la estación, Teresa, que dormía en un rincón del vagón (era de noche), despertó sobresaltada y experimentó una conmoción profunda, hallándose por fin en la meta tan suspirada. En Roma estaba el Papa, de quien, después de Dios, lo esperaba todo.

Había dejado Lisieux el 4 de noviembre, para unirse en París a la peregrinación que había de consagrarse solemnemente el 7 del mismo, en la basílica de Montmartre, al Sagrado Corazón.

Después de esta consagración los peregrinos llegaron a Italia atravesando Suiza. ¡Oh! Suiza, tan bella, tan pintoresca, con sus cimas altísimas, sus nieves y sus glaciares, sus frescos valles y verdes praderías, sus lagos tranquilos y sus aldeas graciosas, esparcidas como juguetes infantiles abandonados, entre las verdes praderías, allá en el fondo de un valle o en el festón de un hórrido precipicio; Suiza, digo, con todas estas bellezas, impresionó vivamente el alma de Teresita.

Mientras lo admiraba todo, su corazón no tenía más que un cántico de alabanza para el Autor de tantas maravillas, y luego trataba de penetrar y comprender estas bellezas para recordarlas un día, cuando, encerrada en un monasterio, sólo un pedazo de cielo ocuparía el lugar de todo esto.

* * *

De la montañosa Suiza, a la llanura lombarda; de las bellezas de la naturaleza, a las del arte, del cual Italia se precia de ser la cuna.

Milán la impresionó con su Duomo y su Camposanto; Venecia la entristece con sus horribles prisiones subterráneas, en las que, lentamente, se extinguieron con profundo dolor millares y millares de víctimas, tal vez inocentes, y con sus magníficos monumentos, cual san Marcos, el palacio de los Dogos y los soberbios palacios que flanquean el Gran Canal *"tan solemne y mudo como una necrópolis". "También esta ciudad tiene sus atractivos —nos dirá ella—, ¡pero es tan triste!"...*

Admiró en Padua las magníficas esculturas de Donatello sobre la tumba del Santo; pero esto, después de haber venerado una reliquia del glorioso san Antonio.

Lo mismo en Bolonia: antes de ir a visitar las maravillas del arte, voló a venerar las maravillas de la gracia, Santa Catalina, tan enamorada de Jesús que mereció de El un beso que dejó en su cara huella indeleble.

¡Quién sabe cómo se imaginaba Teresa la belleza de la Santa! De hecho, confió a Celina que su cuerpo momificado no la había atraído.

En Loreto se extasió de alegría ante la Santa casa y tuvo la felicidad de comulgar donde María fue saludada por el ángel, donde Jesús vivió hasta los treinta años, donde se cumplieron tan grandes misterios y donde todo habla de la pobreza y simplicidad de la Sagrada Familia.[1]

En Roma le llamaron la atención tres cosas especialmente: el Vaticano, el Coliseo y las Catacumbas.

En el Coliseo no se contentó hasta no arrodillarse sobre la arena en que habían combatido los mártires.

Allí donde tantos héroes habían dado la vida por Cristo, Teresa pidió para sí también el martirio, confiada de que sería oída.

Las Catacumbas suscitaron en ella otros sentimientos no menos vivos y profundos; allí fue precisamente donde se enamoró extraordinariamente de santa Cecilia por su ilimitada confianza en Dios y por su gracia singular en hacer puras a

---

1. Santa Teresita fue una gran panegirista de la Santa Casa: Oigámosla: "¡Qué feliz me sentí al verme camino de Loreto! Hizo bien Nuestra Señora en escoger este lugar para trasladar su casa bendita. Todo es allí pobre, sencillo y primitivo. Las mujeres siguen usando el gracioso traje italiano, sin contaminarse con la moda de París. En una palabra, Loreto me ha cautivado. Y ¿qué diré de la Santa casa? Mi emoción fue profundísima al verme bajo el techo mismo que cobijó a la Sagrada Familia; al contemplar los muros sobre los que Nuestro Señor fijó sus divinos ojos; al hollar la tierra que san José regó con sus sudores; al hallarme donde María había llevado en sus brazos a Jesús después de haberlo tenido en su seno virginal. Vi la salita de la Anunciación, puse mi rosario sobre la escudilla de Jesús Niño... ¡Oh! ¡Qué recuerdos tan dulces! Pero mi mayor consuelo fue recibir a Jesús en su casa, convirtiéndome en su templo vivo en el mismo lugar honrado por El con su divina presencia...¡Ya adivinará, pues, madre mía, la felicidad inefable de aquella comunión! Las palabras no pueden expresarla. ¿Qué será cuando comulguemos eternamente en la morada del Rey de los cielos? Nuestra alegría no tendrá entonces límites; no se verá oscurecida por la tristeza de la separación, no habrá que arañar furtivamente los muros santificados por su divina presencia, porque su casa será nuestra por siglos de los siglos. No quiere darnos la de la tierra; nos la enseña tan sólo para que la veamos, para hacernos amar la pobreza y la vida oculta; ¡pero nos reserva su palacio de gloria donde se nos mostrará, no ya velado bajo la apariencia de un niño o de un poco de pan, sino tal cual es, en todo el brillo de su infinito esplendor!"

las almas, entregadas antes a cosas del mundo, virtud ésta que también a ella le fue concedida en grado eminente.

En la basílica de santa Inés, Teresa fue objeto de una de aquellas amorosas finezas de Jesús, abundantes en su vida, como las de los padres abundan en la vida de su benjamín.

Teresa quería una reliquia de la Santa para su querida Sor Inés. La solicitó y no la obtuvo; mas he aquí que el cielo le concedió lo que la tierra le negaba.

Una piedrecilla roja, desprendida de un magnífico mosaico que se remonta a la época de la joven mártir, cayó a los pies de Teresa, quien la recogió con profundas señales de veneración y amor.

Fue la Santa misma quien le dio un recuerdo de su casa...

* * *

¡El Vaticano!... La mañana del 20 de noviembre los peregrinos acudieron al Vaticano para oír la misa del Papa y ser por él recibidos en audiencia.

A las ocho en punto entra León XIII en la capilla, bendice en silencio a los asistentes y se arrodilla para prepararse a la celebración del Santo Sacrificio:

León XIII, pálido y diáfano, es siempre una figura de asceta, pero mucho más ahora que, para rezar, entorna sus párpados, velando así aquellos ojos negros y vivos que fulguran de ordinario cual relámpagos, en los que se revela la potencia de su genio.

Habla con Dios y mueve lentamente los labios.

Acabada la preparación, se levanta. Su vaporoso talle está un poco encorvado; sus manos tiemblan cuando, para ascender al altar, las apoya en los brazos de sus capellanes.

Monseñor Laveille, uno de los que tuvieron la fortuna de asistir con Teresa a la misa del Soberano Pontífice, dice: *"No hay sermón que valga lo que la vista de León XIII en el altar. Su pronunciación es lenta; y ¡qué fe, qué tierna devoción en el tono de su voz, en la gravedad de sus gestos más insignificantes! ¡Qué unción, sobre todo, en la recitación de las oraciones finales, compuestas por él y prescritas a los fieles del mundo entero!"*

La misa del Papa compensó a Teresa de tantas oraciones apresuradas de los días precedentes. A sus ojos, León XIII aparecía como un verdadero Santo Padre en toda la extensión de la palabra, y cuando, después de la misa de acción de gracias, celebrada por uno de los capellanes, se llegó a la sala contigua para la audiencia de los peregrinos, la joven se sintió fuertemente atraída a hablarle como una verdadera hija habla a su padre.

Los primeros en ser recibidos fueron los peregrinos de Coutances; luego los de Bayeux, y al fin, los de Nantes.

Monseñor Germain, obispo de Coutances, presentaba al Papa cada uno de sus hijos, con satisfacción de todos, declarando sus nombres y apellidos, su condición social y demás títulos merecedores de especial bendición, y el Santo Padre hablaba a cada uno, bendiciéndolo con efusión y haciendo que se le entregase una medalla conmemorativa.

Los peregrinos de Bayeux no fueron tan afortunados, porque, menos amable, o menos cordial que Monseñor Germain, el abate Reverony no los presentaba con tanta gracia, velando sobre todo, para que el ceremonial fuese escrupulosamente observado. Cuando vio que las dos hermanas Martín se acercaban al Santo Padre, graves y resueltas, temió que Teresa formulara su petición, y en alta voz hizo pregonar la prohibición de hablar al Santo Padre. Esto era para la pobre Teresa el derrumbamiento de todas sus esperanzas. Vuelta a Celina, preguntóle con los ojos, y Celina, "la intrépida", como la solía llamar el padre, le dijo: "Habla".

Teresa no dudó; se arrodilló a los pies del Pontífice, le besó el pie, puso después su mano en la de él, y..."Beatísimo Padre —le dijo—, tengo que pediros una gracia muy grande".

El Papa inclinó la cabeza hasta ponerse en contacto del velo negro de la jovencita, mientras sus ojos vivos y penetrantes se fijaron en los de ella, como para escrutar su pensamiento.

"¡Santo Padre: en honra de vuestro jubileo, permitidme entrar en el Carmen a los quince años!".

Era precisamente la petición temida por el Vicario General, quien, sin dar tiempo al Papa para responder, le dijo: "Beatísimo Padre: es una niña que suspira por la vida carmelita; pero ya los superiores están examinando 'la cuestión'".

Era, en cierto modo, dictar al Papa la respuesta.

"Pues bien hija mía —replicó el interrogado—, haz lo que los superiores decidan".

Teresa no se dio por vencida: "¡Oh, Beatísimo Padre! Si Vos dijeseis que sí, todos lo querrían!"

"¡Vamos, vamos! —añadió el Papa, mirándola intensamente con suma bondad—. ¡Vamos! Entrarás, si Dios así lo quiere".

Teresa iba nuevamente a despegar los labios, cuando dos guardias nobles, ayudados de Monseñor Reverony, la levantaron del sitio. La mirada del Papa continuó fija sobre aquella dulce creatura que se perdía entre la multitud.

León XIII era el primer Papa que se ocupaba de ella. Su acción era preparatoria, su lenguaje profético, bien que compendiado en una respuesta evasiva: *"Entrarás si Dios lo quiere"*. Dios lo quería, Dios lo quiso: Teresa entró en el Carmen a los quince años. Tres Pontífices se ocuparían de esta niña: Pío X, permitiendo la apertura del proceso; Benedicto XV, firmando el decreto sobre la heroicidad de sus virtudes; Pío XI, beatificándola e inscribiéndola en el número de los santos.

Pero ella, pobrecita, creyó que nada había obtenido por entonces; el padre, al salir de la audiencia, la encontró anegada en lágrimas. Era una sencilla prueba que Jesús Niño quería hacer de la generosidad de la que se le había entregado como una pelotilla baladí.

También aquel 20 de noviembre el cielo estaba triste; llovía a cántaros y parecía juntar sus lágrimas con las de Teresa.

Se habló mucho entre los peregrinos de la *"carmelita en miniatura"*, y fue mirada por todos con viva simpatía.

El viaje perdió desde entonces para ella toda la alegría, y todo aparecía a sus ojos cubierto como por un tupido velo de tristeza.

La antigua Pompeya, con su historia desvanecida en un momento, con su población tan trágicamente sepultada en un río de lava abrasadora, le habló fuertemente al corazón. Hubiera querido pasearse sola entre las ruinas, meditando el derrumbamiento de las esperanzas humanas, la brevedad de la vida, la fugacidad de las grandezas terrenas. Pero no pudo.

Una peregrinación tan numerosa, sorprendida por imprevisto temporal, no daba lugar a la meditación solitaria.

* * *

En Nápoles, saliendo de la Cartuja de San Martín, los caballos de su coche se desbocaron, y faltó poco para que Celina y ella no pereciesen, víctimas del accidente; por esto Teresa, no obstante el magnífico golfo, deseaba dejar Nápoles cuanto antes y volver lo más pronto posible a Lisieux. Hasta Roma habíale sostenido una esperanza invencible; perdida ésta, sólo deseaba volver a casa, donde tal vez la esperaba la respuesta de Monseñor Hugonín.

En Asís, mientras buscaba en Santa María de los Angeles las huellas del "Poverello", que se había inspirado en Belén, el canónigo Reverony se mostró finalmente bueno con ella y le prometió trabajar en su favor. Pero la niña había perdido toda confianza en las criaturas y la impresionaron poco tales palabras, en cambio la emocionó grandemente el confiar su deseo a santa María Magdalena de Pazzis, que yace, bella e incorrupta, bien que algo oscurecida por los años y por los cirios, bajo el altar mayor que le está dedicado en Florencia. Ante ella se sintió feliz hasta por una cosa que para otros hubiera sido indiferente. Los peregrinos querían tocar en la urna de la Santa rosarios y medallas; pero sólo la mano de Teresa fue juzgada suficientemente pequeña para poderse introducir a través de la reja que la protege. Este encargo duró largo espacio, colmándola de felicidad.

Después de Pisa, Génova y los encantos de la Costa Azul, festón de cielo caído sobre la tierra; Marsella, con el magnífico santuario de Nuestra Señora de la Guarda, dominado por la estatua gigantesca de la virgen, en bronce dorado, que parece dominar el mar, a la que se vuelven suplicantes los marineros cuando el sol, al salir y al ponerse, la abrillanta con mil fuegos incandescentes.

Finalmente, en el rico santuario de Nuestra Señora de la Fourvière, en Lyon, se disolvió la peregrinación el 2 de diciembre, y Teresa volvió a Lisieux. Esta peregrinación, comenzada con alegría en la solemne consagración al Sagrado Corazón, terminaba bajo el mando de María con la tristeza de una desilusión.

LA ESCUELA DE LA VIDA

Y bien, ¿qué había sacado en limpio Teresa de este viaje? Ante todo había llegado a comprender aquella sentencia de la Imitación de Cristo: *"No corráis tras de la sombra de un gran nombre"*.

¿Qué son, en realidad, las grandezas terrenas sino sombras fugaces? ¿Qué valían aquellos títulos e insignias gentilicias y grandes nombres de que hacían ostentación y alarde los peregrinos normandos? ¿Qué, el lujo de los espléndidos hoteles en que se alojaban? Todo se le antojaba vanidad y aflicción de espíritu.

Comprendió que la verdadera grandeza no está en el nombre, sino en el alma, ¡Qué idea de grandeza no supo, por el contrario, inspirarle el padre, privado, es cierto, de títulos de grandeza, pero rico de fe viva, piedad ardiente y generoso perdón de las injurias, que ni siquiera en la peregrinación le faltaron!

Además experimentó un consuelo que le sirvió mucho para hacerle comprender mejor el especialísimo fin apostólico de la Orden carmelitana: la oración por los sacerdotes. Ellos son los conductos naturales de todo lo sobrenatural: se les pide mucho y se les exige más. ¡Pero se ruega tan poco por ellos!...

Su misión sublime no les confirma en gracia;

siguen, como todos los demás mortales, transportando su tesoro en vasos de barro con tremendas dificultades; deben llevar encendida y alta la antorcha de la fe por entre las tinieblas de un mundo paganizado; deben mantener inmaculado corazón entre tanto corrupción y en continuo y forzoso contacto con la culpa, en el Sacramento de la Penitencia; y esto lo olvidamos tan fácilmente..

Teresa, en su ingenuidad, se había quizá forjado una ilusión; había creído que los sacerdotes eran ángeles caídos del cielo; pero la peregrinación normanda, en la cual iban muchos sacerdotes, le reveló que ni ellos estaban exentos de defectos. Y si ellos no son santos, ¿cómo lo serían los tibios e imperfectos? Teresa no los critica, como hace el mundo; los compadece y ama más, sintiendo una necesidad irresistible de rogar por ellos, de sacrificarse por ellos, de atraer sobre sus almas luz, gracia y fortaleza.

¡Oh! ¡Quiera ahora la santita dejar caer entre su lluvia de rosas la gracia de que nos acordemos de continuo, en la oración, de las almas sacerdotales y de que abriguemos hacia ellos un afecto sincero de compasión y de profundo respeto!

En Roma sintió Teresa que su fe se vigorizaba; en el Coliseo experimentó viva sed de martirio y en el Vaticano comprendió que nuestra confianza debe reposar únicamente en Dios, porque las criaturas nada valen ni pueden si Dios no les presta su concurso.

Y al experimentar todo esto, su corazón había repetido: "Sólo Dios basta". De Roma en adelante tocó como con la mano que la alegría no está en las cosas que nos rodean, sino en lo íntimo del alma y que, por lo mismo, puede brillar lo mismo en el fondo de una tétrica cárcel como entre los esplendores de un suntuoso palacio.

Su alma se inundó, además, de un vivo afecto de reconocimiento para con la Virgen bendita y san José, que la habían protegido de continuo en su viaje. En París, antes de partir, había confiado a María y a san José el tesoro de su inocencia. Comprendía que durante el viaje, en los museos y otros lugares, habría de tropezar con los refinamientos de un arte pagano o paganizado, y nada quería saber del mal, hasta aquel punto felizmente ignorado.

En la iglesia de Nuestra Señora de las Victorias, de París, donde la Virgen bendita le dio la certeza de haber sido Ella quien prodigiosamente le sonrió y prodigiosamente la curó el 13 de mayo de 1883, Teresa, inundada de gozo, suplicó con todo fervor a Ella y a san José que velasen por su persona. La peregrinación terminaba sin que nada hubiese ni ligeramente empañado su alma, aunque no habían faltado peligros.

Al llegar a Bolonia, por ejemplo, acaeció un caso singular. Los peregrinos, salidos del tren, se vieron rodeados de una turba de estudiantes universitarios, alborotadores vocingleros y osados, que despertaron en ellos cierta aprensión. Aprovechándose del alboroto, uno de ellos se plantó delante de Teresa, mirándola de hito en hito; la examinó de pies a cabeza, y echándosela al cuello la llevó al otro lado de la calle; pero la santa niña, encomendándose a María, le echó una mirada tal, que aquél quedó como cortado y se alejó confuso.

Una tentación más sutil la aguardaba en el curso de la peregrinación: Un joven peregrino, muy distinguido y bien educado, concibió por ella una profunda simpatía que le declaró con atenciones muy significativas. Teresa le respondió con la más fría reserva, único modo de dominar las afectuosas tendencias de su naturaleza; pero a Celina le confió cuánto sufría:

"¡Oh, cuán necesario es que Jesús me sustraiga del soplo envenenado del mundo! Siento que mi corazón se dejaría fácilmente prender del afecto de las criaturas, y donde los demás naufragan, naufragaría yo también, pues toda criatura es débil, y yo más que todas". He aquí el secreto de sus victorias: la confianza en la ayuda celestial y la humilde desconfianza de sí.

"Se necesita haber visto a la Sierva de Dios —ates- tigua la Madre Inés— *para juzgar de su pureza. Estaba como circundada de inocencia, y, aunque me reveló que no había sufrido tentación alguna contra esta santa virtud, guardaba con todo gran vigilancia para conservar hasta lo último la integridad de su tesoro".*

Cuando suspiraba por toda clase de martirios, casi se lamentaba de no poder ofrecer a Dios el de la tentación. ¡Bienaventurada de ella!

*"Los corazones puros se ven muchas veces rodeados de espinas —*escribirá, ya carmelita, a un joven del mundo—. *Los lirios creen entonces haber perdido su blancura porque las espinas que les rodean intentan rasgar sus corolas..., pero los lirios entre espinas son la predilección de Jesús. ¡Bienaventurado el que fue ya hallado digno de sufrir la tentación!"*

LA DESPEDIDA

Como decíamos, la peregrinación se disolvió en Lyón el 2 de diciembre. El 28, la Priora del Carmen de Lisieux recibía una carta de Monseñor Hugonín, Obispo de Bayeux y de Lisieux, en la que permitía la admisión inmediata de Teresa.

Monseñor Reverony había quedado plenamente satisfecho de ella durante el viaje. La misma osadía de hablar al Papa, a pesar de su prohibición, debía haberle revelado que aquella creatura tenía alientos, energía y constancia suficientes para abrazar sin titubeos y con firmeza la vida carmelitana.

Que desde el principio al fin de la peregrinación no levantaría de ella los ojos era un hecho; se veía bien que quería darse cuenta perfecta de la conducta de esta carmelita en germen, obrando así con arreglo, tal vez, a algún mandato del mismo Monseñor Hugonín. En Asís prometió ayudarla y en Lisieux mantuvo su promesa. Mas, para no malquistarse con el canónigo Delatroëtte, siempre obstinado en su negativa, y para no exponer aquellos quince años a los rigores de la cuaresma, la Madre Priora tuvo a bien dar largas al asunto de la admisión hasta después de Pascua. Con motivo de este retraso, independiente de la voluntad de Teresa, hubo de experimentar la tentación del relajamiento. Después de tanta tensión sentía como una necesidad de aflojar algo en sus continuas mortificaciones. Pero, gracias a su redoblada fidelidad, superó esta tentación al igual que todas las demás.

El 8 de abril fue el último día que Teresa pasó en familia. Nada más triste ni más doloroso para una persona, llamada por Dios al estado religioso, como este adiós a la familia y a los lugares, teatro de su niñez y crecimiento, en cada uno de cuyos ámbitos hay un objeto, una voz, un recuerdo, una palpitación, un gemido. Se quisiera no verlos, olvidarlos, alejarlos, y, en vez de ello, siéntese el alma objeto de un amor más intenso y de atenciones más delicadas. Es entonces cuando se experimenta de lleno la angustia de aquellos largos silencios, más dolorosos que las mismas palabras.

La tarde del 7 de abril vio por última vez la vieja mesa de encina, rodeada para la despedida de las familias Martín y Guerín, en cuyos corazones ocupaba Teresa un puesto de honor. Al separarse, convinieron todos que a la mañana siguiente acompañarían a Teresa al Carmen y que, en aquella iglesia, oirían misa y comulgarían.

Llegó la mañana, quizá después de una noche de insomnio.

"Altamente me conmovió la fuerza de ánimo de Teresa —escribe Leonia—; *ella sola conservaba su calma.*

Le dije que lo pensase bien antes de entrar en religión, añadiendo que sabía por propia experiencia (Leonia había entrado en las clarisas y se había visto en la precisión de volver a casa por motivos de salud) *que tal vida exigía grandes sacrificios y no había que comprometerse de ligero. Su respuesta y la expresión de su rostro probáronme que se daba cuenta de todos estos sacrificios y que les daba la cara con alegría".* En efecto de verdad el fervor de Teresa no era un fuego fatuo; su deseo no era una veleidad ni un romanticismo cualquiera; no iba al Carmen en busca de consolaciones y dulzuras —las cuales, dicho sea de paso, las hallaba con profusión en medio de la familia y en su actual estado—, sino que iba para sacrificarse y sufrir, para inmolarse por las almas y ayudar en especial a los sacerdotes.

* * *

Después de una postrer mirada a los "Buissonnets", amado nido de su infancia, la pequeña comitiva se encaminó al Carmen. Tras la comunión, Teresa no oyó sino sollozos. Se acercaba el momento de la oblación suprema, y ella era la única que no lloraba. Terminada la misa, se encaminó con espontánea naturalidad a la puerta de la clausura, *palpitándole el corazón tan fuertemente que le parecía morir. ¡Oh! ¡Qué momento aquel de agonía!* —exclamaba después recordándolo. Teresa abrazó a todos, se arrodilló delante del padre para recibir la bendición, y él, a su vez, se arrodilló también y la bendijo llorando.

Ante aquella puerta que se abría para sepultar perpetuamente, en virtud de una heroica inmolación, a aquella niña de quince años; ante aquel padre que escribía a un amigo: *"Teresa, mi reinecita, entró ayer en el Carmen; Dios sólo puede exigir semejante sacrificio".* Delante de aquellos parientes que sabían el precio de su ofrecimiento, el canónigo Delatroëtte tuvo la cara dura de decir en tono desabrido: *"Vaya. "¡Ya pueden, reverendas Madres, cantar el Te Deum! Como delegado del Obispo os presento a esta niña de quince años, por cuyo ingreso suspiráis. ¡Ojalá que vuestras esperanzas no queden burladas! Por lo demás, acordaos, si esto sucediese, de que vosotras solas sois las culpables"*.

Palabras tan intempestivas dejaron heladas a las pobres monjas e hirieron el corazón del padre y de las hermanas de la postulante; mas no turbaron en nada el ánimo de Teresa, inmolado generosamente en el altar del sacrificio.

Fue su primera solemne humillación, el primer anillo de una cadena de propia negación...

* * *

Esta jovencita ingresó en el monasterio con una especie de majestad, saturada de modestia, que no pudo menos de conmover a todos. *"Las monjas, que esperaban ver a una niña* —escribe la Madre Inés—, *quedaron agradablemente sorprendidas en su presencia, admiradas de un porte tan digno y sencillo y de una expresión tan profunda y enérgica. Una de ellas, Sor san Juan de la Cruz, a quien había contrariado el ingreso de una postulante tan joven, me dijo algún tiempo después: 'Pensaba que usted se arrepentiría presto de haber trabajado tanto por el ingreso de una hermana suya, y me decía: ¡Cuántos desengaños sufrirán una y otra!, pero ¡cómo me he equivocado! Sor Teresa del Niño Jesús es extraordinaria y nos supera a todas'"*.

En el monasterio, Teresa lo encontró todo hermoso, magnífico; hasta la celdilla desmantelada y desnuda. Se creía de verdad en el desierto por el cual había soñado desde la infancia, y, exhalando un profundo suspiro de satisfacción y de alivio exclamó ya desde el primer día: *"¡Hazme aquí, mi morada para siempre!...".*

EN EL CARMEN DE LISIEUX

PRIMERAS ESPINAS

Los comienzos de la vida religiosa de Teresa fueron difíciles. En vez del juguete, supuesto por el mundo, el monasterio encontró en ella un alma humilde y grande, fuerte y generosa; pero con grandeza y una generosidad velada por las más simples apariencias.

Vimos ya que Teresa soportó la primera prueba de humildad con la serena paz observada en la dura presentación que de ella hizo a la comunidad el terrible canónigo Delatroëtte. El superior permaneció inflexible hasta fines de 1891, en que una gripe maligna y perniciosa, contagiando el Carmen de Lisieux, lo transformó en hospital, en lugar de dolor y de muerte. ¡Cuántas bajas en aquellos días aciagos! Entonces fue cuando el canónigo Delatroëtte depuso sus prevenciones contra la Santa. Entrando en clausura para visitar a las enfermas, pudo ver cómo trabajaba aquella monja jovencita; se percató de su constante sacrificio, envuelto en una perenne sonrisa, y concibió por ella tal admiración que ya no pudo hablar de ella sin conmoverse. Como santo Tomás Apóstol, no creyó hasta haber contemplado con sus propios ojos el prodigio de gracia de que tan encomiásticamente oía hablar. En vano le decían, respecto de Teresa, que los seis meses de postulantado habían resultado magníficos; él exigió una prórroga, que se limitó a tres meses, gracias a los buenos oficios de la Madre Priora, que en este caso logró imponerse en contra de las exigencias del canónigo.

Al saber que su profesión iba a ser diferida: *"No os pido ya profesar, Señor mío* —exclama—. *Esperaré cuanto queráis. Mas, no pudiendo soportar que mi unión con Vos sea diferida por mi causa, quiero poner un cuidado más exquisito para prepararme un vestido adornado de toda suerte de perlas y diamantes, en la certeza de que, cuando lo halléis lo suficientemente rico, nadie podrá impediros de tomarme por esposa".*

Las pruebas, en vez de abatirla, servíanle de estímulo, provocando en ella doblado celo y fervor en su vida de sacrificio. Este fue siempre su camino: *sufrir amando y amar sufriendo.*

En la epidemia de 1891, cuando las enfermas más graves eran asistidas de otras que apenas podían tenerse en pie, Teresa, agobiada de dolores y febricitante, se daba toda entera, día y noche, a sus hermanas, sin miramiento, sin reposo, cuidándose muy bien de mostrar sombra de cansancio, antes bien, matizando de continuo sus labios con una sonrisa o una palabra de consuelo.

Y aun entonces sola ella era la encargada de la sacristía, sacando fuerzas para su múltiple actividad de la facultad, recibida hacia aquella época, de comulgar diariamente.

* * *

Junto a la hostilidad del superior, Teresa hubo de encontrarse en los primeros tiempos con el rigor excesivo de la Madre Priora, María Gonzaga.

Nacida ésta de una noble familia de Calvados, ya de simple religiosa dio pruebas de su espíritu de iniciativa y de prudencia, por lo cual, y dados sus atractivos personales —debidos en gran parte a su primera educación—, fue elegida Priora.

Con todo, una naturaleza semejante, rica, enérgica y activa, no dejaba de tener sus lagunas; impresionabilísima, suspicaz y predispuesta a la melancolía, olvidábase a menudo de la discreción y ecuanimidad que hacen suave el gobierno e inspiran confianza.

Consciente de sus dotes, creíase ella, y hacíanselo otras creer, que era necesaria para la comunidad y la única capaz de desempeñar el priorato. No veía, pues, con buenos ojos crecer el número de las hermanas Martín, temerosa de que pudieran formar un núcleo, opuesto a sus intereses, en aquel Carmen donde sus raras dotes le granjearon admiración constante.

Aquella admiración, sin embargo, estaba lejos de ser unánime entre las religiosas, de donde procedían naturalmente algún prejuicio para el espíritu, para el gobierno y para la unión de la comunidad.

Deseó vivamente contar entre sus súbditas a Teresa Martín y la recibió con agrado. Teresa, por su parte, sintióse fuertemente atraída hacia la Madre Gonzaga, en cuya dirección encontró más de una vez la alegría y el consuelo que hasta entonces sólo había encontrado en Dios. Pero habiéndose despedido del mundo sin que la retuviera en él la menor afección a criatura alguna, no quiso que ahora impidiese una criatura su vuelo hacia las alturas y, en consecuencia, empeñó una dura lucha con su pobre corazón.

Siguiendo una norma de conducta, a la verdad bien poco sobrenatural, mantúvola la Priora lejos de sí, sin comprenderla. Llegó a tachar de orgullo el porte respetuoso y afectuoso, mas no adulador, de la novicia, pareciéndole también hijo de refinada presunción aquel su desinteresado y hasta escrupuloso afán por cumplir el deber. Temió que su juventud y la protección de sus dos hermanas pudieran hacer profeta al canónigo Delatroëtte, y creyóse en el deber de humillarla sin piedad, no atendiéndola, riñéndola, apartándola de sí, siguiendo en esto las impresiones de su naturaleza impetuosa. Teresa sufría y callaba. La Madre Inés sufría todavía más, y un día se atrevió a quejarse *tímidamente* a la Madre Gonzaga: *"¿Por qué ni un miramiento a la juventud de su hermanita y a su delicada complexión?" "He aquí el inconveniente de que haya dos hermanas en un monasterio —le respondió—. Seguramente quisiera que Sor Teresa medrase; pero yo debo hacer todo lo contrario, porque es más orgullosa de lo que puede suponerse".* La Madre Inés no tuvo más remedio que callar.

Pues que el Señor permitía que la Priora la tuviese por orgullosa, no se le podía condenar el que tratase de hacerla humilde con humillaciones. Por lo demás, cuando la vio humilde, lo reconoció sin dificultad.

Teresa, que lo era de verdad, soportaba con tanta paz y serenidad los continuos rigores a que estuvo sometida, que, por declaración de la misma

Madre Gonzaga, jamás se desmandó poco ni mucho de la perfecta obediencia. La misma Madre la definiría andando el tiempo: *"Optima entre las buenas, un verdadero ángel"*, y confesará que había quedado estupefacta al hallar en una joven de quince años tanta prudencia y madurez de juicio.

"Indole de tal temple —decía— no tiene necesidad de miramientos, sino de severa y fuerte dirección que la pruebe".

Y la Santa sabrá agradecérselo por su parte:

"¡Cómo le agradezco, Madre mía, no haberme perdonado! Sin el agua de la humillación, que vivifica, su pobre florecilla no hubiera podido echar raíces, dada su debilidad. El Señor lo sabía bien, y a usted debo, Madre mía, este inestimable beneficio".

"¡Hija mía —dirá la Madre Gonzaga a Teresa, próxima a la muerte—. *¡Hija mía! Usted puede ya comparecer delante de Dios, habiendo siempre comprendido la humildad!".* ¡Qué maravilloso testimonio! La humildísima Santa reflexionó sobre aquellas palabras breve espacio y, al cabo, respondió en un arranque de su gran corazón: *"Sí; siento que mi alma no ha buscado sino la virtud. Sí; he comprendido la humildad de corazón".* Y ¿qué es, de hecho, la humildad de corazón, sino la estabilidad del alma en la virtud, en el conocimiento de la propia nada, ante Dios, el prójimo y uno mismo?

* * *

Acabamos de contemplar a la Priora de Teresa; veamos ahora a su Maestra de Noviciado: *"Era una santa religiosa, el verdadero tipo de la carmelita".* Tal nos la presenta Sor Teresa.

Buena, piadosa, oriunda de una gran familia,

llena de fe, que tenía por divisa: *Dulzura y Discreción*. Era realmente dulce y discreta. Deseaba proporcionar a su novicia el mayor bien posible y no se lo ocultaba. La admiraba, la estimaba, sufría por ella e involuntariamente la hacía sufrir. Pero era éste un género de sufrimiento distinto del que le infligía la Madre Priora. La gran pena de Teresa, respecto a la Madre Priora, consistía en no llegar a contentarla, a pesar de su buena voluntad; con respecto a su Maestra, en cambio, era el no ver comprendido su camino y su gran necesidad de silencio interno y externo.

Diariamente tenía con la novicia largas, eternas y monótonas, bien que piadosísimas pláticas, que no correspondían con el espíritu de aquélla e impedían los vuelos de su alma, obstaculizando su ascensión hacia Dios; aquella ascensión que ella hubiera querido incesante. Además, sin pretenderlo, empeoraba las relaciones entre la Santa y la Madre Gonzaga, por sus distracciones y falta de memoria. He aquí algún ejemplo:

Todos los días, a las cuatro y media, debía Teresa bajar por obediencia al jardín y arrancar algunas hierbas. Invariablemente se encontraba con la Madre Priora, que se mostraba descontentísima de ello, llegando a decir alguna vez: *"¿Qué haremos de una niña que todos los días se da su paseo?"*

Alguna vez, viéndola débil por la austeridad de la regla, la Maestra le obligaba a levantarse más tarde por las mañanas. Pero sucedía que, olvidándose algunas semanas de proporcionarle este alivio, para remediar el olvido imponíale la obligación de levantarse más tarde durante quince días seguidos, sin causa justificante.

La Madre Priora, que no veía a Sor Teresa en

la meditación, reñíala acremente, y la pobrecita no sabía a quién obedecer. Su embarazo era grande, pero sufría, disimulaba y callaba.

Habíanle ordenado que se descubriera a la Madre Maestra cuando se sentía mal del estómago. Ahora bien, Sor Teresa se sentía mal todos los días, y todos los días tenía que ir a repetirle la consabida copla: *"Me duele el estómago"*. *"Hubiera preferido cien palos a la obediencia"* —decía la santa—. *"¡Pobre niña mía!* —reprochábale entonces la Maestra, olvidada ya de la obligación impuesta—. *Nuestra regla es demasiado austera para usted; me parece que no tiene fuerza ni salud suficientes para seguirla"*. Iba después a la Madre Priora a pedirle algún remedio, y la Madre Gonzaga, que tenía buena memoria y carácter excesivamente vivo, oyendo todos los días aquel lamento, se irritaba y decía: *"Esta niña no hace más que quejarse. Si no puede soportar sus males, que se vaya; no es este lugar para ella"*. La pobre Teresa recibíalo todo con paciencia y lo sufría resignada; mas como nadie había revocado la orden, continuaba cumpliéndola invariablemente cada día, con peligro de verse despedida. ¿Quién no sorprende en este solo acto el más sublime heroísmo? Finalmente, cuando a Dios plugo fue anunciada la penosa orden...

Lo más gracioso era que Sor Teresa, alma fuerte, no dejaba transparentar al exterior su interno martirio, y, al contrario, la Madre Maestra, vacilante y sensible hasta el exceso, en todo veía una cruz, invirtiéndose de esta manera los términos y los papeles.

No era la novicia quien pedía consuelo a la Maestra, sino la Maestra a la novicia, refiriéndole sus penas internas. Rememorando aquellas penas exclamará aquella venerable Madre: *"¡Oh, cómo sabía consolarme!"*, y esta misma afirmación será repetida por cuantas almas tuvieron la dicha de sentir la suavidad de las caricias de Teresa y sus celestiales sonrisas.

Por lo demás, Maestra y novicia se amaban tanto... Conmueve oír a esta religiosa, encorvada por los años y vecina a la tumba, deponer en favor de su Teresa con tanto corazón, con tanta admiración, con tanto entusiasmo.

Ella cuenta entre otras cosas, que la tarde de un día singularmente doloroso para la novicia, había entrado en su celda después de maitines para darle algún consuelo. Sorprendió a su Teresita —aún no religiosa— en el momento de acostarse. La túnica blanca caíale con descuido hasta los pies; los rizos blondos orlaban su rostro y pendían graciosos sobre sus espaldas, y la luna, dejando penetrar sus plateados rayos a través de la ventana, envolvíala en halos de luz... La Maestra creyó hallarse delante de una aparición celestial.

Si el camino de simplicidad, abandono y silencio íntimo de Teresa no fue comprendido por la Madre Maestra, tampoco lo fue plenamente por la Madre Genoveva, la Santa Fundadora del Carmen de Lisieux, quien muchas veces hubo de asustarse ante el arrojo e intrepidez de los pensamientos de nuestra santita.

Aunque dotada de espíritu profético, no parece intuyó la futura santidad de aquella niña; pero le dijo palabras que, como éstas, dilataron su corazón: *"Sirva a Dios con paz y alegría, y acuérdese que nuestro Dios es Dios de paz"*. Pero habitualmente no la comprendía, no obstante ser una Santa a quien Sor Teresa amaba muchísimo.

Quien parece comprendió la simplicidad del alma y del camino de Teresa, fue otra Madre anciana, la cual díjole cierto día, en recreación, incidentalmente: *"Su alma es extremadamente sencilla; pero cuando sea perfecta será más sencilla todavía, porque la sencillez de un alma crece en relación con su acercamiento a Dios"*.

* * *

Sor Teresa tenía terrible dificultad en franquearse. No sabía cómo explicar lo que pasaba por su alma, y las conferencias espirituales habidas con la Maestra eran para ella un verdadero suplicio. Si al menos la hubiera consolado el cielo o la ayuda del confesor... ¡Pero el cielo diríase herméticamente cerrado para ella!: aridez, íntima tristeza, dificultad, esfuerzo, he aquí reunido en pocas palabras el estado de Sor Teresa. Solamente su voluntad enérgica, amorosa, deseosa únicamente de agradar en todo a su Señor, cuya mirada, sin embargo, no encontraba, fue capaz de hacerla superar tanto obstáculo, a simple vista insuperable. Buscaba a Dios, pero El permanecía oculto, de suerte que la pobre, con la mente ofuscada, se preguntaba gimiendo si sería objeto de amor o de odio.

Además, de esto, el confesor, como achacoso que era, restringía su actividad espiritual y prestaba poca ayuda a Sor Teresa.

"Muchas veces, confesores y predicadores de Ejercicios Espirituales —habla Sor Inés— *asustáronla y le paralizaron sus ánimos"*. Por fortuna, cuando la pobre Santa sufría tanto, vino al Carmen el padre Pichón, de la Compañía de Jesús, y le devolvió la paz, asegurándole que era objeto de un grande amor, como sus penas interiores lo confirmaban. Aseguróle, además,

que jamás había perdido la inocencia bautismal ni había ofendido gravemente al Señor. ¡Qué alegría, qué consuelo para aquel pobre corazón!

El padre Pichón le devolvió la paz; pero dar la paz a un alma no quiere decir quitarle la dificultad y las penas, y Sor Teresa continuó sufriendo. Pero sufriendo como quien sabe que es objeto de amor y que el dolor es la prueba, es la señal más inequívoca del amor de un alma de Dios; en suma, como quien sabe y comprende que el amor con amor se paga: *"Hija mía, que el Señor sea siempre su Superior y Maestro de novicios"* —le había dicho el padre Pichón, y así fue en efecto.

No obstante ver a Dios en los superiores, fue a Jesús a quien Teresa se abandonó plenamente, recibiendo de El ayuda y sostén.

Apenas se encargó de la dirección de su alma, el padre Pichón fue destinado a Canadá, y de este modo quedó Jesús como único director espiritual de Teresa. *"En la escuela del dolor* —dice Monseñor Laveille— *fue donde aprendió Teresita que el amor dulcifica toda pena; aun en el abandono aparente de las criaturas, aun bajo el peso de pruebas capaces, humanamente hablando, de desconcertarla, gozaba de una paz deliciosa".*

"Tienes razón —escribe ella a Celina—, *tienes razón. La vida es con frecuencia pesada y amarga. Es realmente penoso volver a comenzar una nueva jornada de dolor, sobre todo cuando Jesús se oculta a nuestro amor. Y ¿qué hace entonces este dulce amigo? ¿No ve nuestra angustia y el peso que nos oprime? ¿Dónde está entonces? ¿Por qué no viene a consolarnos? ¡Celina!: no temas nada. El está al lado de nosotros y nos mira; El es quien mendiga de nosotros esta pena, estas lágrimas..., las necesita para las almas, para la nuestra..., ¡quiere galardonarnos con una recompensa bella!...Te aseguro que sufre cuando nos prue-*

ba, pero sabe que éste es el único medio de hacernos llegar a nosotras mismas hasta ser verdaderos dioses. ¡Oh, qué destino! ¡Cuán grande es nuestra alma! Levantémonos sobre todo lo que pasa, alejémonos de la tierra. ¡Es tan puro el aire de las alturas! Jesús puede esconderse, pero el corazón le adivina"...

La aridez fue compañera inseparable de Teresa en sus retiros para la toma de hábito y para la profesión. En carta a la Madre Inés con motivo del primer retiro se declara felicísima de sufrir. ¡Oh si supiese "su mamaíta" hasta qué punto desea ser indiferente a las cosas de la tierra!

¿Qué le importan todas las hermosuras creadas? ¡Cuán grande se le antoja su corazón, al parangonarlo con todos los bienes de la tierra, incapaces de saciarlo, y, por el contrario, qué pequeño y mezquino al compararlo con Jesús, infinito y perfectísimo!...

Allá en lo íntimo de su alma siente que si al Señor pluguiera hacerle feliz aunque sólo fuera durante unos instantes, jamás se separaría de El; pero aun estos instantes de felicidad le eran negados; y en aquella negación sorprendía ella la inmensa bondad de Dios, su divina amabilidad. Evidentemente Jesús quería defenderla a toda costa contra el dominio tiránico de las criaturas. "No quiero que las criaturas se apoderen de un sólo átomo de mi amor —dice—. Quiero que todo sea de Jesús, porque me hace comprender que El únicamente es capaz de labrar mi perfecta felicidad. Todo será para El...¡Todo! Y cuando, como esta tarde, no tenga nada que ofrecerle, le daré esta misma nada".

"¡Dios me niega hasta la sombra de la felicidad!" ¡Qué revelación más magnífica de su martirio interno! Durante el retiro habido para la profesión, sus disposiciones de ánimo fueron idénticas a las del retiro de la toma de hábito. Para describirlas, Teresa recurre a una comparación. Sólo una cosa desea: *Llegar a la cima del monte del Amor*. ¿Por qué caminos y por qué medios? Abandónase en los brazos del Señor, y Él la toma de la mano y la introduce en un subterráneo, donde no hace ni frío, ni calor, ni sopla el viento, ni la lluvia humedece el ambiente. Sólo una luz velada, procedente de los párpados de la Santa Faz, ilumina aquel lugar. Jesús no le habla, y ella tampoco le habla a Él, esto es, sólo una cosa le dice: que lo quiere más, muchísimo más que a sí misma. No sabría decir si avanza hacia la meta que persigue, ya que camina penosamente bajo la tierra; pero hay algo que le dice en el fondo del corazón que se acerca a la cumbre del monte.

Camina en las tinieblas y da gracias al Señor por ello. Gusta una paz tan profunda que hasta consiente en que las tinieblas le duren toda la vida con tal de que se conviertan en luz para los pobres pecadores. Su felicidad es no tener consolación. Se avergonzaría de imitar a las esposas del mundo, que tienen puestos los ojos en las manos del prometido para descubrir los regalos, o en su cara, para descubrir una sonrisa de amor que las extasíe. Teresa no ama a Jesús por los regalos y las sonrisas, sino únicamente por Sí mismo; es atraída solamente por las lágrimas que en Él se esconden. Para descubrirlas, mírale de continuo, y para enjugárselas, para recogerlas como diamantes inestimables, no aparta de Él sus ojos virginales.

Tras de esta comparación que revela su purísimo amor, exento de toda sombra de interés, aunque sea espiritual, brota de los labios y del corazón de Teresa aquella expresión que es como la cifra y el compendio de su santidad y como la razón última de su gloria: *"Tanto quisiera amar a Jesús...! ¡Quisiera amarlo como jamás ha sido amado! A toda costa quiero merecer la palma del martirio. Y si no ha de ser derramando la sangre, que sea al menos no escatimando el amor".*

Nada es de extrañar que, aspiraciones tan altas, no sólo no fueran comprendidas, sino halladas audaces y atrevidas por las criaturas bien que aprobadas y bendecidas por el cielo.

Como más tarde tendremos ocasión de ver, la toma de hábito fue para Teresa una fiesta de luz y de alegría, un verdadero triunfo. Contra costumbre, Monseñor Hugonín entonó al fin de la ceremonia el *Te Deum.* El maestro de ceremonias quiso detenerlo; pero el paso estaba dado. Aquel *Te Deum* era un eco de la alegría del cielo. Treinta y seis años después, bajo las bóvedas de san Pedro, Pío XI entonaba a su voz otro *Te Deum,* comenzado el cual, millares de corazones y de labios repetían entusiasmados sus versículos, con los ojos fijos en un cuadro anegado en raudales de luz que representaba a la humilde santa Teresa en la gloria, con la leyenda: *"Santa Teresa, ruega por nosotros".*

¡Cosa singular! El 10 de enero de 1889, durante la toma de hábito, y a pesar de la apacible temperatura que caldeaba el ambiente, nevaba en Lisieux, según los deseos de la Santa, de cuya pureza sin mancilla era símbolo aquella lluvia impóluta y sin mácula. Más adelante exclamará Sor Teresa en un arrebato de entusiasmo: *"¿Dónde hay señor en la tierra capaz de hacer caer un solo copo de nieve en honor de su desposada?"*

Treinta y seis años más tarde, en la fecha gloriosa de su canonización, una escuadrilla de aviones, al tiempo que describe caprichosos círculos en el espacio, inundará la plaza de San Pedro con una lluvia de pétalos de rosa, simbolizando aquella otra lluvia, mucho más benéfica, mucho más celestial, que, por permisión del Esposo divino y según los deseos manifestados en vida por la santita inundará la tierra, llenándola de gracias y bendiciones.

En el transcurso de su corta existencia no tuvo Teresa otra ambición que *"agradar a Jesús"*, y, ahora, diríase que Jesús no tiene otro deseo que agradar y complacer a Teresa. La vida de Teresa fue breve, pero el Señor, que no se deja vencer en generosidad, continuará complaciendo a su benjamina mientras duren los tiempos y el mundo sea mundo.

La tarde del 17 de mayo de 1925, la plaza de San Pedro y la inmensa basílica vaticana semejaban un foco inmenso, figura de la luz que envolvía el alma de la heroína del Carmelo reflejándose sobre la Iglesia entera, gozosa por el triunfo de Teresita, grandiosa confirmación de las palabras del Divino Maestro con motivo de una de las escenas más divinas de todo el Evangelio: *"Si no os hiciereis como este niño, no entraréis en el reino de los cielos; el que entre vosotros fuere el menor, será el mayor en el reino de los cielos..."*.

La cruz es y ha sido siempre el camino que más rectamente conduce a la luz, y así le acaeció puntualmente a Teresa. Si tales alturas escaló, si tanta luz consiguió fue porque su vida se deslizó entre las espinas del dolor, pero de un dolor tan íntimo y profundo que sólo los ojos de Dios lo pudieron conocer en más de una ocasión.

* * *

Su toma de hábito fue un triunfo. La imposición del velo negro arrancó a sus ojos raudales de lágrimas. Pero ¿qué decir de su profesión? La noche precedente, durante la vigilia habida ante el Santísimo Sacramento, el demonio le tendió un lazo, asaltándole encarnizadamente. De buenas a primeras la vida carmelitana le pareció una quimera superior a sus fuerzas una vida para la cual no se sentía llamada. Y tanto llegaron a espesarse las tinieblas de su ánimo que sólo una cosa comprendía: que, no teniendo vocación, debía tornar al mundo. Descubrió la tentación a la buena Madre Maestra, la cual no pudo por menos de reírse con ganas, debiendo el demonio retirarse una vez más corrido y avergonzado.

Mientras la comunidad se encaminaba a la sala capitular para asistir a la ceremonia, una bandada de golondrinas coronó los muros del monasterio. El hecho causó impresión entre las monjas. ¿No era acaso esto una imagen del vuelo rápido y presuroso de Teresa hacia su Esposo? La naturaleza estaba de fiesta, y el alma de Teresa sumergida en un océano de paz, no de alegría. Así, anegada en aquella profunda paz que superaba todo sentido, emitió sus votos religiosos.

Acaeció esto el 8 de septiembre de 1890; el 24 fue señalado para la ceremonia de la imposición del velo, a la cual debía asistir la familia. Si algo anhelaba Teresa con este motivo era la presencia de su padre; pero el padre faltó, y faltó también a última hora Monseñor Hugonín, a cuyo cargo debía correr la ceremonia en cuestión. La ausencia del padre enfermo arrancó no pocas lágrimas a Teresa, pero aquellas lágrimas no fueron comprendidas. ¡Y a pesar de todo, eran lágrimas tan naturales, tan santas, tan perdonables...! Cabe decir que eran las primeras, desde su entrada en religión, ya que Teresa había soportado sin llorar pruebas sin comparación más graves y duras que aquélla. ¡Sus lágrimas no fueron comprendidas!... Los puntos suspensivos que siguen a esta frase de la Santa nos dejan entrever verdaderos

120

manojos de espinas ocultas bajo las apariencias de este episodio a simple vista tan ordinario y sencillo...

¡Pobre Sor Teresa! Véase cómo escribe a su hermana María, que la había contemplado entretenida ¡en adornar la imagencita del Niño Jesús del claustro, la cual corría a su cargo!, y se había sorprendido porque las velitas de color rosa, preparadas para la fiesta, habíalas sustituído por las medio gastadas del día de la toma de hábito: *"Estas velas me hablan más al corazón. Comenzaron a arder el día de mi toma de hábito y estaban entonces frescas y sonrosadas. El papá que me las había regalado, estaba presente y todo era entonces alegría... Hoy el color rosa ha palidecido y estoy por decir que casi ha desaparecido... ¿Es que acaso brilla hoy el menor rayo de alegría color de rosa sobre el espíritu de su Teresita? ¡Oh! No. Para ella ya no existen sino las alegrías celestiales, en las que todo lo creado, que es nada, da lugar a lo increado, que es la única verdadera realidad"*...

EN LA SOMBRA DEL CLAUSTRO

La vida de la monja carmelita puede resumirse en bien pocas líneas, fuera del caso en que haya recibido de Dios la misión de dilatar su Orden y de fundar nuevas comunidades. Por lo demás, en el Carmen un día es igual que el otro: apostolado oscuro, conquistas calladas, tácita ascensión de Dios sólo conocida.

La misión de Teresa era por demás bella y dulce; una misión que debería cumplirla después de la muerte. Todo en su vida fue simplicísimo. Ella misma nos da cuenta de sus ocupaciones desde su ingreso en el Carmen.

"A mi entrada en el monasterio fui destinada a Ropería con la Madre Vicesuperiora —Sor María de los Angeles—. Tenía, además, que barrer una escalera y un dormitorio.

"Entonces era cuando bajaba al jardín a arrancar las hierbas, lo cual disgustaba a la Madre Priora.

"Desde mi toma de hábito hasta los dieciocho años se me destinó al refectorio, el cual barría; y ponía el agua y la cerveza.

"Para las Cuarenta horas de 1891 se me confió la sacristía. Desde junio del año siguiente, quedé dos meses sin oficio fijo. Entonces pinté el fresco alrededor del Tabernáculo del oratorio y ayudaba a la Procuradora. Después de estos dos meses me destinaron al torno, continuando la pintura; y hasta la distribución de cargos de

*1896 continué con estas dos incumbencias. Luego volví a
la sacristía. Caí enferma y entonces pedí permiso para
ayudar a Sor X a repasar la ropa".*

¿Puede existir cosa más modesta, más humilde,
más simple?

* * *

Teresa calla, con todo, el oficio más importante
que le fue confiado, oficio éste aparentemente sin
gloria ni brillo, pues estaba escrito que toda su vida
debía deslizarse entre las penumbras de la observancia común, humilde y sacrificada. Fue nombrada
coadjutora de la Maestra de Novicias, y más adelante
Maestra, pero conservando el grado de novicia y el
título de *Hermana mayor de las novicias.*

Este oficio, que le fuera confiado y confirmado en
circunstancias extraordinariamente difíciles y delicadas, le pareció superior a sus fuerzas; pero ¿no era la
obediencia la que se lo imponía? Y Sor Teresa, siempre humilde y sencilla, se resignó con la voluntad de
Dios, y como el niño cuando tiene miedo va a ocultar
su cabecita tras de las espaldas del padre, ella fue a
esconderse entre los brazos de Dios; expúsole su
pequeñez y su impotencia para nutrir a sus hijos, e
hizo con El este pacto: ella tendería la mano y El le
proporcionaría el alimento adecuado para cada alma;
luego, sin dejar los brazos ni aun volver la cabeza, lo
distribuiría, y así todo quedaría simplificado. Hallando sabroso aquel divino manjar, las novicias sabrían
que no se lo debían a ella, sino a Dios; hallándolo, por
el contrario, amargo, trataría de persuadirlas de que
venía también de Dios y de que no se preocuparan de
buscar otro. De esta manera su paz sería inalterable.

De su parte sólo una cosa pondría: ocuparse

exclusivamente de estrechar más y más su unión con Dios, persuadida bien de que lo demás se le daría por añadidura.

Apenas puso manos a la obra, rogó a Dios que no fuese humanamente amada. Y Dios escuchó su oración. Es verdad que fue amada hasta la veneración por su rectitud y su amor a la verdad, por su ejemplaridad de vida y fidelidad al deber; pero el afecto que por ella sintieron las novicias nunca degeneró en debilidad y ternura humana. Jamás ocultará la verdad para conquistar estima y afecto. *"Con las almas que dirigimos —dice— es necesario ser veraces y decir siempre lo que se piensa. Yo hago siempre así, y, si no soy amada, me importa poco, pues no es esto lo que busco".*

El estudio y el examen continuo de la conducta ajena le cuesta mucho: le cuesta tener que observar las menores faltas, los menores defectos de las novicias para jurarles guerra a muerte; pero una vez que se ha puesto en los brazos de Jesús, vela desde aquel refugio como el centinela desde la torre de una fortaleza, sin que para su vigilancia pase desapercibida ni la más insignificante maniobra del enemigo. Ella misma se maravilla.

¿Le cuesta corregir y reprender a las compañeras? Muchísimo: mas *"para que una represión produzca efecto —dice— tiene que costar hacerla, no debiendo haber en el corazón de quien la hace ni la más ligera sombra de pasión".*

A veces hay que sostener verdaderas luchas contra las naturalezas rebeldes, pero no se desalienta. El Señor le ha dado la gracia de no temer la guerra, y quiere cumplir con su deber a toda costa. Cuando la necesidad lo pedía era intrépida, prefiriendo desafiar el enojo de las Hermanas y de la Superiora, exponiéndose quizá a salir de la ruta común, antes que permitir que una novicia se perdiera por caminos peligrosos. Celina, después Sor Genoveva de la Santa Faz, novicia suya, tentada de juzgarla un poco severa en la conducta con las novicias, acaba por concluir: "*Pero no puedo decir con verdad que esto fuera un defecto. Era más bien un santo enojo que de ninguna manera le hacía perder el dominio de sí misma, ni la paz*". Y podía decir más. Podía decir que en aquellos momentos estaba tan tranquila como en la oración.

Hasta en el lecho de muerte continúa luchando contra sus menores defectos y los de sus hermanas. "*He aquí derribado en tierra nuestro guerrero*" —dícele un día, burlando la Madre Inés—. "*No* —responde la Santa—, *porque no soy guerrero que haya usado armas terrenas; he combatido con la espada del espíritu, que es la palabra de Dios, y así la enfermedad no ha podido abatirme. Por última vez me serví ayer tarde de mi espada contra una novicia. Lo tengo jurado: moriré con la espada en la mano*".

Irreprensible en la observancia y regularidad, quería que sus novicias lo fuesen igualmente. De ella podía atestiguarse, sin temor de engañarse, "*que no había cometido la más mínima infidelidad contra la regla*". Obedecía hasta los detalles de menor tomo. Cuando la Madre Priora hacía alguna recomendación, la seguía a la letra sin jamás permitirse separarse de ella ni siquiera un ápice. Todo lo dejaba al primer toque de campana, y truncando por la mitad incluso las conversaciones más interesantes. Si cosía no acababa ni siquiera de sacar la aguja.

Hasta los últimos días fue heroica su obediencia. Abrasada por la fiebre, para darle algún alivio, quiso María quitarle el grueso cobertor que le cubría los pies. "*Me agradaría* —dijo la Santa—, *pero no creo que esté permitido. Pregúnteselo a la Madre Priora*", y la detuvo. Creyó que debía tener hasta el fin el cobertor de lana que la oprimía con su peso, porque había oído que una vez decía la Madre Gonzaga a cierta religiosa sana y fuerte que era loable hacer uso de dicho cobertor aun durante el verano.

"Aunque todos falten a la regla —decía— no es ésta razón para justificarnos. Cada cual debe portarse como si la perfección de la Orden dependiese de su conducta personal".

Era severísima contra los afectos sensibles: la susceptibilidad, la pereza, la manía de replegarse sobre sí y llamar la atención sobre pueriles sufrimientos. Quiere que sus novicias obren varonilmente, sin remilgos ni lamentos. *"En comunidad —dice— cada cual debe bastarse a sí misma y no pedir servicios sin los cuales se puede muy bien pasar".* Y como para sí tiene la máxima de no recurrir a permisos, exenciones y dispensas sino en último extremo, quiere que hagan lo mismo sus novicias, y les sugiere que se formulen a sí mismas esta pregunta: *"¿Y si todas hicieran lo que yo?"*

"La respuesta que os deis —concluye— os descubrirá inmediatamente el desorden que resultaría y os declarará el equilibrio que a toda costa es preciso guardar". Enérgica, generosa, siempre preocupada por la salud de las almas, deseaba la misma virtuosa energía en sus hijas. *"¿Es ese el modo de obrar cuando hay hijos que alimentar?"* —dijo una vez, en que yendo presurosa al lavadero, se encontró con una novicia que caminaba lenta, desgarbada y derrengadamente.

Pero junto a esta firmeza, ¡cuán exquisita bondad!...

Santa María Magdalena de Pazzis llamaba a sus novicias *sus palomicas*. Santa Teresa del Niño Jesús las llamará *sus corderitos*. Tendrá para ellas corazón de madre y, para animarlas y esforzarlas, delicadezas que arrancan lágrimas. Hasta su severidad nacía del amor.

He aquí cómo define ella su cometido difícil y, a veces, hasta ingrato: *"Correr detrás de los corderos, mostrarles sus guedejas ensuciadas, traerles algún mechón de lana que dejaron prendido en las zarzas del camino".*

Sus consejos son un encanto de sabiduría, de sagacidad, de bondad, de ternísima simplicidad. A la verdad, no es de todo punto imposible sorprender en ellos la severidad que Celina tanto le achacaba.

"La gran palanca de que la Santa se servía para levantar a las almas era la consideración del amor y de la misericordia de Jesús. Con el recuerdo continuo de los atributos adorables del Salvador, lograba casi siempre alentar el ánimo, estimular la buena voluntad y fortalecer el gusto y la esperanza de la perfección" —dice Monseñor Laveille.

EL CAMINITO

Tan sencilla como su vida exterior fue la interior. En el cielo la corona más bella de Teresa la formará sin duda esa legión innumerable de almas que, sin pertenecer al número de los espíritus fuertes y de las naturalezas heroicas y magnánimas, ávidas de lo grande, de lo sublime, de lo sobrenatural en sus más maravillosas manifestaciones, siguieron en vida sus ejemplos y la escogieron como ejemplar y modelo. Dios la suscitó en este siglo para servir de sostén a las almas pequeñas y débiles: a las almas, eso sí, de aspiraciones elevadas y grandiosos ideales, pero de voluntad flaca y débil, a quienes parece inaccesible el monte de la santidad, contemplando a través de la austera figura de los Santos que en otros tiempos lo escalaron. Teresa tomará de la mano a estas almas sin número, que se detienen como descorazonadas e inertes al pie del monte, sin osar dar un paso; les enseñará los secretos de su ascesis, toda de pequeñez y abandono, y las hará fuertes y generosas...

Y el caminito, fácil y llano, por ella enseñado, servirá de ascensor a incontables almas que, utilizándolo, lograrán escalar la cima del monte de la perfección. Enseñará a las almas a subir ágiles, con la sonrisa en los labios y el canto en el corazón, cogiendo brazados de rosas entre punzantes espinas. Mejor aún: tomará a estas almas y, después de hacerlas pequeñísimas, las pondrá en los brazos y en el corazón de Jesús para que se dejen conducir por El como el niño se deja conducir por la madre. ¿Igualarán por ventura estas almas pequeñitas la talla prócer de los grandes Santos y de los anacoretas, de los mártires, de los confesores? Sí, y aun la superarán, a condición de proceder con suprema sencillez e ingenuidad de corazón. ¡Decididamente, la aparición de una santita del estilo de Teresa es una de las mayores misericordias hechas por Dios a este siglo de indiferencia y semipaganismo!...

La santidad de los Mártires, de los Solitarios, de los Doctores sublimes, de los Taumaturgos, de los Fundadores de Ordenes, de los grandes Reformadores, de los Santos íntimamente ligados al Corazón Sacratísimo de Jesús, ha adoptado en estos últimos tiempos una nueva forma, una nueva modalidad que, sin ser menos bella, menos real o menos elevada, es sin discusión muchísimo más accesible al esfuerzo de todos. Providencia especialísima de Dios ha sido acomodar siempre la santidad a la condición de los tiempos, y ahora que estamos en el siglo de las grandes misericordias, diríase que, abriéndonos su Divino Corazón, nos repite más eficazmente que nunca estas palabras: *"Quiero que todos seáis santos...Queredlo también vosotros... ¡Es tan fácil y hacedero!...".*

Nuestro siglo es orgulloso, y la santidad de Teresa es la misma pequeñez, la humildad en su grado más eminente.

Está lleno de actividad febril, y Teresa nos muestra que la santidad no consiste en la multiplicidad y sublimidad de las obras, sino en el amor con que santificamos el momento presente; en aquel amor que, vivificando las más insignificantes acciones, las purifica y las abrillanta hasta hacerlas dignas de perfumar, cual selectísimo incienso, el trono de Dios.

Nuestro siglo afeminado teme la austeridad, y Teresa nos muestra que la santidad no consiste en la austeridad corporal, sino en la austeridad interior que mantiene en estado de continuo y amoroso sacrificio la mente, el corazón y la voluntad, y consiguientemente también el cuerpo del cristiano. Teresa no corre en busca del dolor por el dolor mismo, ni va en pos de la penitencia por la penitencia misma. Cuando el sufrimiento le viene de Dios, acéptalo con amor y con profundo reconocimiento, sabedora de que todo lo que de El procede es siempre lo mejor para nuestra alma, y también de que no puede darse amor sin dolor.

En suma, Teresa no nos muestra sino su camino. Para poder servir de modelo a todas las *almas pequeñas*, Dios le hizo experimentar todas las debilidades humanas, prestándole al mismo tiempo su eficacísima ayuda para triunfar en todas ellas. Experimentó en particular todas las dificultades ajenas a una naturaleza tímida y sensible hasta el extremo y fácil al llanto; experimentó el martirio de los escrúpulos, la necesidad de la amistad, de la alabanza, de la aprobación y el espantoso, aunque momentáneo, cansancio en la práctica del bien; experimentó fortísimas antipatías y toda la restante serie de dificultades que crea el roce diario con el prójimo, dificultades que le inspiraron páginas maravillosas sobre la caridad fraterna; experimentó la oscuridad de la fe...; lo experimentó todo; pero de suerte que nada la doblegó ni la venció; contra todo reaccionó y todo lo superó con suprema y encantadora sencillez.

Convencida la Santa de su pequeñez y debilidad, sentía, no obstante, arrebatado su corazón por grandes ansias de perfección y santidad.

Contrastando su vida con la de los Santos parecíale cual si existiera entre ellos y ella la misma distancia que en la naturaleza existe entre un monte y altísimo, cuya cima se pierde en las nubes, y un diminuto grano de arena que huella el caminante. Esto no la descorazonaba, sin embargo. Y es que estaba plenamente convencida de que no le hubiera infundido Dios tal deseo si no hubiera podido realizarlo; el Señor nada obra inútilmente... Así, pues, podrá ella muy bien, a pesar de su pequeñez, aspirar a la santidad. Pero ¿cómo?

¿Puede un granito de arena llegar a ser una majestuosa roca? ¡No! ¿Y podría ella, granito insignificante, crecer hasta ser algo grande? ¡No! Ha comenzado a caminar por la vía de la penitencia y de la mortificación corporal, hacia la cual siéntese atraída. Esta fue la vía seguida por todos los Santos carmelitas; pero Dios no la quiere a ella por allí. Una crucecita armada de puntas de hierro llevada algún tiempo sobre el corazón, le ha causado profunda llaga...

No intenta tampoco escalar las altas cumbres de la mística; se siente demasiado pequeña. ¿Y entonces? Se soportará, es decir, se sufrirá a sí misma con sus debilidades y defectos. En vez de crecer, procurará menguar siempre, porque ¿no es acaso la pequeñez la primera condición puesta por Dios a la santidad? ¿No mostró Jesús a sus discípulos un niño por modelo? ¿No habló de renacer, a Nicodemus, gran doctor de Israel?

Pues bien, ella permanecerá pequeña; pero trabajará por encontrar un sendero que la lleve al cielo velozmente. ¿Cuál será éste?

Aspira a algo nuevo, original. ¿No estamos acaso en el siglo de los grandes descubrimientos? ¿No han sido sustituidas las escaleras por el ascensor, que facilita la subida, librándonos de la fatiga de subir tantos y tantos escalones? También ella quiere y busca un ascensor que la libre de la fatiga de escalar los peldaños de la perfección. ¿Cuál será éste?

Interroga a los libros santos. Abre los Proverbios y se encuentra con estas palabras: *"Si alguno es niño venga a Mí"*... Y ella se llega a Dios, porque ¿quién más niña que ella? Ahora bien; ¿qué hará Dios del pequeño párvulo? Teresa continúa preguntando, e Isaías le dice: *"Como una madre acaricia a su pequeño, así Yo os consolaré y os llevaré sobre mi seno y os curaré sobre mis rodillas"*. Había, por fin, encontrado el ascensor: éste no era, no podía ser otro que los brazos de Jesús.

¿Cómo idear, cómo encontrar un ascensor más bello, más dulce, más caro y deleitoso que éste? Le bastará mantenerse perpetuamente niña, o le bastará trabajar para ser cada vez más niña aún, dejándose llevar en brazos de Jesús. Mas ¿cómo permanecer niña? Reconociendo su propia nada, esperándolo todo de Dios, como un niño lo espera todo del padre, no procurándole riquezas, no atribuyéndole a sí misma ni dones ni virtudes, sino refiriéndolo todo a Dios; no descorazonándose, en fin, ante las propias miserias, pues sabido es que, aun cuando los niños caigan tan a menudo, son demasiado pequeños para hacerse mucho daño.

El niño que comienza a crecer, ¡cómo se agita inquieto entre los brazos de la madre!, ¡qué esfuerzos hace por verse libre y dar los primeros pasos! El brazo materno antójasele innecesario. Sólo el pequeñuelo, de inteligencia aún dormida, y fuerzas debilísimas, permanece quieto y reposado en el regazo de la madre. Así hará Teresa: cerrará los ojos, cerrará la mente a los vanos razonamientos, a las inútiles pesquisas, a los esfuerzos personales; se abandonará, segura y tranquila, a un plácido sueño entre los brazos de Dios; se dejará llevar por El por donde más le agradare; lo dejará pensar por ella, amar por ella, hablar por ella, obrar por ella, y todas sus palabras y acciones estarán ordenadas y subordinadas siempre a su divina y augusta voluntad.

El alma que se abandona, cree, espera y vive así, es una alma que ha comprendido realmente lo que es el amor. Y ¿no quiere Dios de su criatura sino esto? El mismo nos dice que no necesita nuestros rebaños, porque todos los animales del bosque y los que pacen en las colinas le pertenecen. *"Si tuviera hambre no te lo diré, porque mía es la tierra y todo cuanto contiene. ¿Acaso me alimento de sangre de toros y bebo sangre de cabritos? Inmola a Dios sacrificios de alabanza y agradecimiento..."*. Y este ejercicio del amor, de alabanzas y de gratitud consistirá en Teresa en un continuo negarse, vencerse y sacrificarse.

"¡Oh cuán sencillo es el amaros, oh Señor!" —exclamará un día, dejándonos entrever que aquel su amor tierno, fuerte, confiado y filial, fuente de tantas otras perfecciones, lo había conseguido a lo largo de su vida con su generosidad y correspondencia a las gracias especialísimas del Señor.

EN ALAS DEL AMOR

LA PALANCA MAS POTENTE

El amor: he aquí la palanca que desde la infancia levantó el espíritu de Teresa, impulsándola constantemente a obrar.

Entrada en el monasterio, hubiera querido anegarse en este mar de amor, de abandono, de confianza; pero sus deseos fueron juzgados desmedidamente audaces. Sólo un franciscano, el padre Alejo, hízole avanzar a velas desplegadas, precisamente cuando su alma, hecha ya la profesión, se veía presa de horribles penas y pesares.

El padre Alejo era un valiente misionero, más hábil ciertamente en convertir pecadores que en hacer progresar a las almas piadosas. Sor Teresa decía burlando: *"Está visto que soy una gran pecadora"*, aludiendo a que el padre la comprendiera tan pronto y tan bien, dilatando su alma de manera tan admirable. Entre otras cosas certificóle de que *"Jesús estaba contento de ella y que sus defectos no le desagradaban"*.

Era la primera vez que Teresa oía decir que había defectos que no desagradaban al Señor. Pero en sustancia era esto puntualmente lo que ella pensaba hacía tiempo. El corazón de Dios es más tierno que el de una madre, y la madre está siempre dispuesta a perdonar las menudas inconsideraciones de su hijo. Sabía, además, por experiencia que ninguna reprensión la había conmovido tan vivamente como las caricias de su Paulina. Su naturaleza era tal, que el temor la hacía retroceder, mientras el amor la hacía, no ya avanzar, sino, lo que es más, devorar las distancias, volar. Es afirmación de Dios que El no necesita de las criaturas, y con todo no se desdeña de mendigar un sorbo de agua de la Samaritana... En sus palabras *"¡Dame de beber!"* se oculta toda la ardiente sed de amor que le devora...Pero ¡cuántos ingratos, cuántos indiferentes se hacen sordos a estas voces apremiantes de Jesús!...

* * *

En 1895 púsose un día Teresa a reflexionar en las almas generosas que se ofrecen víctimas de la justicia divina, cargando sobre ellas los castigos debidos a los pecadores. Se limitó a admirarlas. No se atrevía a imitarlas.

Otro pensamiento la ocupaba. ¿Solamente la divina justicia tendría víctimas de holocausto? ¿Y por qué no también su amor, aquel amor misericordioso, tan desconocido, tan olvidado y despreciado? El corazón de Jesús es un horno del que brotan continuas llamaradas de amor; pero en vez de acogerlas y dejarse abrazar, arder y consumir, arrojándose en los brazos del Señor, vuelven sus espaldas al divino amante y se dan a las creaturas, buscando en ellas alegrías momentáneas.

¿Habría de quedar este amor herméticamente encerrado en el corazón de Dios? Y si hallase almas prontas a acogerlo, ofreciéndosele cual víctimas de holocausto, ¿no las consumiría rápidamente y Dios no se sentiría feliz al expandir entre las almas aquellas llamas represadas en su corazón?

El imperio de su justicia no se extiende más que sobre la tierra; el de su amor se levanta también hacia el cielo.

El 9 de junio de 1895, previo el permiso de la Superiora, se ofreció cual hostia de suave olor, y desde aquel día sintióse como sumergida en un océano de gracias extraordinarias y como circundada, penetrada, inundada de amor.

Sus ansias llegaron entonces al colmo.

No le bastaba, la vocación de carmelita y de madre de almas. Parecióle dentro de sí un nuevo llamamiento. Era la voz de Dios que la quería guerrero, sacerdote, apóstol, doctor, mártir...

Hubiera querido ejecutar las acciones más heroicas; sintió en sí alientos de cruzadas y deseó morir en el campo de batalla por defender la religión.

Hubiera querido ser sacerdote e imitar al mismo tiempo la humildad de san Francisco, que rehusó dignidad tan sublime. Hubiera querido recorrer la tierra predicando el Evangelio, plantar la cruz en las regiones salvajes, hacerse cargo de todas las misiones y evangelizar el mundo hasta sus más remotos confines.

Hubiera querido sufrir el martirio, y no uno solo, sino muchos, comenzando por la flagelación y crucifixión del Salvador. Todas las acciones de los Santos, escritas en el libro de la vida, todas las hubiera querido ejecutar por amor de Dios.

No era sed, era fuego abrasador lo que la devoraba.

En esta coyuntura pidió alivio a san Pablo. Abrió sus Epístolas, halló que todos no pueden ser a un tiempo apóstoles, profetas, doctores; que la Iglesia está compuesta de variedad de miembros; que los ojos no pueden ser manos... La respuesta estaba clara. Pero no la tranquilizó. Siguió leyendo.

El Apóstol recomienda aspirar a la consecución de los dones superiores. Dice que va a indicar a las almas un camino más excelente, y explica cómo los dones más perfectos son nada sin el amor, y cómo la caridad es el camino más excelente para ir seguros a Dios.

Considerando el cuerpo místico de la Iglesia, Teresa no se encuentra enumerada entre los miembros descritos por san Pablo..., ¡y eso que hubiera ella querido verse desempeñando los ministerios de todos aquellos miembros!...

Pero la caridad vino a darle la clase de su vocación: si la Iglesia es un cuerpo, debe tener también corazón, y este corazón debe arder en las llamas del más vivo amor. Luego si este corazón dejase de palpitar, los miembros quedarán inertes. Ni los apóstoles predicarían el Evangelio, ni los mártires derramarían su sangre. Todas las vocaciones se compendian en el amor; el amor trasciende el tiempo y abrasa todo lo creado.

Esto fue para Teresa el más espléndido descubrimiento. Había hallado su vocación; en el corazón de la Iglesia, sería el amor, y siendo el amor lo sería todo. De este modo su sueño de oro cristalizaría en la más bella de las realidades.

Sor Teresa se siente pequeñísima, algo así como un pajarito recién nacido, cubierto de sedosas plumitas, débil, impotente para todo. ¡Y cuán hermosa es esta persuasión que la anima respecto de su pequeñez, de su debilidad! Su alma está llena de grandiosos deseos, irrealizables para una monjita como ella. Cada uno de los Santos que pueblan hoy el cielo realizaron en la medida de sus posibilidades aquellas vocaciones a que ella aspira en vano. De aquí que pida encarecidamente a los bienaventurados la quieran adoptar por hija suya, prestándole su concurso en los combates del Señor. Su plegaria es ni más ni menos la de Eliseo a Elías en el momento en que éste es arrebatado al cielo; es la petición de su espíritu y de su acendrado amor.

¿Es mucha su osadía? ¿Acaso los príncipes elevados al trono no acceden gustosos a los caprichos de sus hijos, no colman sus menores y más pueriles deseos?

La gloria de los Santos no es precisamente lo que Teresa ambiciona. Su gloria será, más bien, un reflejo de la gloria de los Santos.

¿Y podrá ella, tan pequeña, aspirar a otra cosa? Su único gran deseo es amar. No quiere más que amar. Mientras sus hermanos luchan en el campo, ella permanecerá cabe el trono de Dios, amando y rogando por los que combaten. Y pues el amor se prueba con obras, ella, como niña, esparcirá flores, embalsamará con sus perfumes el trono divino, arpegiará incesantemente con voz argentina el canto eterno del amor.

He aquí el "caminito" que muestra la Santa a las almas pequeñas. Reposo seguro y confiado en los brazos de Dios, pequeñez y abandono, amor ardiente y generoso, y un continuo esparcir flores, como prueba inequívoca de este amor.

"¡Oh! Si las almas débiles e imperfectas como la mía

—afirmaba la Santa— *sintiesen lo que siento yo, ni una sola desesperaría de alcanzar la cima del monte del amor; porque Jesús no quiere obras grandes, sino abandono y reconocimiento".*

LLUVIA DE FLORES

¡Esparcir flores! Con esta expresión, tan llena de poesía, diríase que Teresa trata de encubrir con un velo de sencillez y de sonrisas su vida entera, rebosante de sacrificio y de inmolación.

Para ella el amor consiste en una total abnegación del propio yo. He aquí cómo explica su expresión: *"Esparcir flores quiere decir no desechar la menor ocasión de sacrificarse, no descuidar ni una mirada, ni una palabra..., quiere decir aprovechar los actos más insignificantes y realizarlos por amor: sufrir por amor, gozar por amor y no encontrar flor alguna a lo largo de nuestra vida sin deshojarla a los pies de Jesús... Esparcir flores, y esparcirlas cantando siempre, aunque se las tenga que recoger entre espinas. Cuanto más largas y punzantes sean las espinas tanto más melodioso será este cántico de amor".*

Espiguemos algunas de estas flores, dejadas caer por Teresa a lo largo del camino, y comprenderemos mejor la continuidad y el tenor de su vida de sacrificio.

Una Hermana tiene el don de desagradarla en todo, absolutamente en todo, y, naturalmente, Teresa siente hacia ella violenta antipatía.

Pues bien: esta Hermana la detiene un día y le pregunta: *"¿Querría decirme, Sor Teresa, qué es lo que la atrae tanto hacia mí? No me encuentra una sola vez sin que me dirija la más amable sonrisa".* ¡Pobre Hermana!

Jesús, sólo Jesús, oculto en su corazón; Jesús, que hace dulce lo amargo, es quien atrae hacia ella a Sor Teresa. Para llegar a dominar y vencerse a sí misma es necesario que Teresa atraviese con los ojos de la fe aquella envoltura tan desagradable y que busque y contemple al Huésped divino que mora en aquella alma en gracia.

Y tan cabal y completa era su victoria que María (Sor María del Sagrado Corazón) llegó a sentir celos por aquella Hermana privilegiada, y un día se lamentó con la Santa: *"Me parece que quiere más a Sor X que a mí. Cuando la encuentra, cuando conversa con ella, la veo radiante de alegría. Le digo la verdad; no me parece bien; pues, al fin, los afectos de familia vienen de Dios".* Sor Teresa no pudo menos de reírse muy de corazón; pero nada dijo de los sentimientos de antipatía que la referida Hermana le inspiraba.

Más tarde, cuando Celina fue su novicia, la Santa, para ayudarla a vencer las antipatías, le enseñó las industrias de que ella misma se valía. Oyendo el nombre de la Hermana, tan antipática para Teresa, Celina cayó de las nubes. La había creído su más apreciable amiga.

Quien no halle en santa Teresa materia de admiración, dirá quizá: *"¡Vaya una cosa! ¿Quién no tiene antipatías naturales y procura vencerlas?"* Sí; pero trabajar por vencer las antipatías y hacerlo de manera que se llegue a inspirar celos a la propia hermana y a hacer creer a la persona antipática que es objeto de nuestra predilección, no es sino de Santos y de grandes santos. Si, además, se piensa que esto sucede en un pequeño monasterio de clausura y en contacto obligado, no durante unos días, sino durante largos años, continuamente, sin poderse apartar ni alejar... Confíasele a Sor Teresa el torno junto con una compañera, mayor que ella en el oficio, una anciana nacida para tentar la paciencia, lerda, con una pesadez desoladora, meticulosa hasta más no poder: *"Esa caja hay que ponerla en tal sitio y en tal posición; esa puerta hay que abrirla y cerrarla así y asá; antes de sentarse hay que hacer esta y aquella ceremonia"*, etc., etc. El contraste entre Sor Teresa y esta anciana no podía ser mayor; pero la vivaracha y desenvuelta Sor Teresa, jamás demostró la violencia que debía hacerse para mantener siempre la misma inalterable dulzura. Tratemos de imitarla, y ¡qué delicia sentiremos! En sus últimos años decía de Teresa, con lágrimas en los ojos, aquella buena monja: *"¡Oh, qué ángel! ¡Se veía tan claro que era un ángel!..."*

Y añadía con íntima satisfacción: *"Puedo dar testimonio de haber contribuido a hacerla tan feliz"*. Una irónica sonrisa florecía en los labios de todas ante tan inesperada conclusión.

"¡Qué ilusa! —se dirá—; pero añadamos también: *—¡Qué Santa quien hace posible tales ilusiones!..."*

* * *

Una día en que la Santa, sin atender más que a la estética, ponía flores y guirnaldas en el ferétro de la Madre Genoveva, exclamó una lega con osadía: *"Ved cómo pone en lugar preferente los ramos que ha mandado su familia y en último lugar los de los pobres"*. *"¡Tiene razón, hermana mía! ¡Gracias!* —respondió dulce y tranquila Sor Teresa—. *¿Quiere alargarme aquella cruz de musgo, regalo de los obreros?"*. Y, sin más, cambió totalmente la disposición de los adornos, sin atender a la estética, sino a la caridad y humildad.

¡Qué dominio sobre sí misma no nos revela este

hecho! Teresa no esparcía, no deshojaba una que otra flor, sino que las deshojaba todas y abrazadas. Y para verlas, para no pisarlas, para no pasar inadvertidamente sin cogerlas, ¡cuánta vigilancia no le era necesaria! Pero el amor es vigilante y no descuida los medios para agradar al Amado!

Había otra Hermana en el monasterio, buena, pero anciana y medio paralítica, cargante y caprichosa por demás. Como se arrastraba con tanto trabajo, era necesario que a las seis menos diez se levantase alguna de la oración para acompañarla al refectorio. Jesús inspiró a Teresa que se ofreciese para menester tan ingrato. Esto le costaba un triunfo, porque conocía los prontos de la Hermana necesitada. Pero se ofreció generosamente, porque desde los tres años no había negado cosa alguna a Jesús. No le fue fácil conseguir que se aceptase su ofrecimiento, porque es generalmente achaque de todos los ancianos el no fiarse de los jóvenes. ¡Y Teresa era tan joven! Pero triunfó al fin de tantas dificultades.

Cuando veía Teresa que la pobrecita sacaba su reloj de arena, ya lo sabía. Había llegado ya la hora y debía levantarse. Teresa lo hacía, tomaba aliento y daba principio con ambas manos a la complicada ceremonia de acompañar a la enferma.

Había que comenzar por mover el banco; pero, ¡ay si no lo hacía de la manera que a la enferma agradaba! Luego debía coger a la enferma y levantarla por la cintura, pero ni muy fuerte ni muy suave. Si daba un paso en falso, escuchaba este reproche: *"Usted me lleva muy de prisa. ¡Vaya más despacio!"* Si la sostenía con dulzura, este otro: *"No siento su mano. ¡Me va a dejar caer!"*. En suma, era un continuo murmurar, y la conclusión siempre la misma: *"Ya lo decía yo que era muy joven para conducirme..."*.

Una tarde de invierno, atravesando el claustro, el viento trájole el sonido de una lejana orquesta. Sor Teresa se imaginó entonces una sala magnífica, deslumbrante de oros, espléndidamente iluminada, donde jóvenes elegantísimas recibían y prodigaban caricias mundanas. Bajó los ojos. ¡Qué contraste! Un pobre pavimento de ladrillo, una semioscuridad, una pobre enferma, gemidos, lamentos... El contraste la iluminó con infinita dulzura: comprendió cuánto superan los rayos de la verdad el tenebroso esplendor de los placeres terrenos, y por gozar mil años de aquella fiesta no habría cambiado los pocos momentos empleados en su oficio de caridad.

Llegada al refectorio, nuevas exigencias de la enferma, satisfechas las cuales podía Teresa retirarse. Pero se dio cuenta bien pronto de que la pobrecita cortaba el pan con mucha dificultad, y se ocupó también en hacerle este servicio. La Hermana se conmovió, porque no se lo había pedido y, después de la muerte de Teresa, recomendaba que se anotase cuanto había hecho aquel angelito, que, después de todo, jamás la dejaba sin regalarle una bella, sabrosísima sonrisa. Y esto, no una tarde, sino continuamente durante meses y años...

* * *

Se le descosió una vez a Sor Teresa el grueso escapulario de sayal. Una Hermana dióse cuenta de ello, se lo cosió sobre la espalda, y con la aguja cosió juntamente escapulario, túnica y carne. ¿Quién no hubiera protestado, al menos con alguna conmoción, con una exclamación de dolor? Quizá la naturaleza de la Santa experimentaba alguna ligera conmoción, pero fue tan imperceptible, dado su hábito de mortificación y el dominio que de sí misma tenía, que nadie la notó y de todos pasó desapercibida.

Juzgándose feliz por el oculto y agudo sufrimiento, bajó a la despensa, llenó las botellas, las subió todas, las puso sobre las mesas y soportó, sin dar la menor señal de su dolor, durante varias horas consecutivas, aquel tormento, al que puso remedio sólo por temor de no ser desobediente, soportándolo más tiempo sin saberlo la Superiora.

Su puesto en el refectorio está contiguo al de una anciana aquejada de una enfermedad que le causa ardores tremendos. A las dos, en vez de cerveza, se les da limonada: la botella es única, y la anciana, sin darse cuenta, se la vacía casi por entero. Sor Teresa, por temor de mortificarla, o de que caiga en la cuenta de su indiscreción bebiendo agua pura, se abstiene casi por completo de beber, aunque siente gran necesidad.

En el lavadero tiene enfrente una Hermana que lava de prisa los moqueros, salpicándole la cara de agua sucia. El primer instinto de Teresa es como el nuestro, retirarse con viveza, limpiarse el rostro, rogar a la Hermana que mire lo que hace y cambiarse de sitio: nos lo dice ella misma.

Esto es lo bueno de Sor Teresa, no ser una Santa de estampa, sino, más bien, cincelada con primor a golpe de cincel, a fuerza de voluntad sostenida por el amor. Ni en este caso sigue un ápice a la naturaleza. Piensa que la aspersión repugnante, por serlo, es capaz de granjearle inestimables tesoros; aquellas repugnantes gotas son para ella flores de subido precio, monedas con qué comprar almas; y no sólo las acepta con alegría, sino que las recibe siempre en el mismo sitio: en la cara.

Las cocineras se percataron pronto de su espíritu

de mortificación y lo aprovecharon a maravillas para disimular sus descuidos. De aquí que muchas veces le sirvieran hasta cuatro días seguidos los peces fritos que, a fuerza de estar en la sartén, habían quedado más duros que unas astillas. Siete años duró este régimen, hasta que, dándose un día cuenta una compañera, se presentó conmovida a la Madre Priora; diciéndole: *"Así arruinan a la pobre Teresita"*. Pero de la boca de la Santa no había salido un lamento ni una reclamación, porque rendía culto generoso a lo que otra carmelita de nuestros días —la fundadora del Carmen de Paray-le-Monial— define muy bien *"la virginidad del dolor"*.

"Hay que guardar todo para Jesús con celoso cuidado —afirma nuestra Teresita—. *¡Es tan hermoso trabajar sólo, sólo con El!... ¡Cómo se llena de alegría el corazón! ¡Cómo se·aligera el alma!"*. Que nadie se ocupase de ella, que fuese pisoteada como un granito de arena, era su sueño dorado, su más vivo deseo. Al desprecio, prefiere el olvido. Lo que se desprecia es algo; pero en lo que es nada, ni se piensa, ni nos preocupa.

* * *

Veamos a la Santa en su celda. Se le ha señalado una, muy apartada e incómoda. En invierno, después de maitines, ya anochecido, va temblando y aterida de frío a calentarse un momento a la sala de comunidad, donde hay una estufa, única estancia donde las carmelitas pueden calentarse un poco. Pero mientras las demás Hermanas conservan aquel poco de calor prestado, metiéndose pronto en sus celdas, la pobre santa Teresa tiene que andar cincuenta metros al aire libre, por el claustro; subir luego al primer piso y pasar después un largo y helado corredor. ¡Cómo la flagela el viento helado al atravesar el claustro, donde la lluvia y la nieve tienen franco acceso para danzar a su placer en agitados remolinos!

Cuando llega a su celda, santa Teresa está helada. Tiembla y bate diente con diente. Se desnuda, se tiende sobre el jergón, se envuelve en las dos gruesas mantas de lana, pero inútil. Dormita un poco, y despierta temblando, y de nuevo al penoso desvelo... Y así todos los inviernos, desde los dieciséis a los veinticuatro años, que es la época de la vida en que el sueño nos es de mayor y más absoluta necesidad. ¡Y cuántas noches insomnes por entero! El insomnio siempre es penoso, pero ¡cuánto más si lo causa y mantiene el frío!

Hubiera bastado una sola palabra dicha a su buena Madre Maestra, y el tormento hubiera cesado. Mas ¿para qué decírselo? ¿No hubiera sido rechazar un medio de obsequiar al Señor y de regalarle con hermosas flores? Sólo en el lecho de muerte, movida por la caridad, la Santa reveló su martirio y dijo que había padecido el tormento del frío hasta su muerte, siendo aquel su mayor y más penoso sufrimiento en el monasterio.

* * *

Contemplémosla ahora en el coro. Para comprender la generosidad de lo que vamos a referir es preciso tener experiencia y tenerla de un monasterio donde el puesto coral es obligatoriamente el designado por la Superiora. Pues bien: la Santa, de oído finísimo, de temperamento sensible hasta la exageración, estuvo por mucho tiempo al lado de una monja que no cesaba de moverse, de sacudir el rosario, el cinturón, el escapulario, de toser, de gargajear, y sobre todo, de agitarse sin cesar. La oración requiere más que nada silencio y quietud, y aquellos rumores persistentes y enojosos distraían la atención de santa Teresa, la turbaban y fastidiaban.

Volverse, mirar a la Hermana, rogarle que pusiese fin al perpetuo agitarse, era lo que a voces pedía la naturaleza; mas para no secundar estas voces y para no causar pena a la Hermana, Teresa hubo de hacerse tal violencia que sudaba a mares. Tenía que resignarse a una oración de sufrimiento: remediar el mal no estaba en sus manos; entonces buscó el medio de sufrirlo con paz y alegría.

Comenzó por amar aquella molestia, prestando después oído a aquel desagradable rumoreo como al más suave concierto, acabando por ofrecer con amor este concierto a Jesús.

Y sin duda el Señor debía agradecerlo más que todas las celestiales melodías, como fruto de una mortificación, tanto más costosa cuanto más pequeña, oscura y hasta ridícula parecía aparentemente.

Vimos ya cómo durante un retiro, llamado siempre por ella *retiro de gracia,* el padre Alejo impulsó el alma de la Santa a velas desplegadas por el mar del amor y de la confianza. Pues bien, la Madre Gonzaga, abusando caprichosamente de su autoridad, no le permitió que volviese a tratar con el padre en el curso del retiro espiritual, como a las demás se les permitía. Sólo una vez, por turno, y nada más.

Santa Teresa sufrió esta imposición sin lamentarse. Era entonces sacristana. Sentía al padre paseándose por la sacristía, sin que nadie se le acercara, y ella, que tanto lo necesitaba y tanto lo hubiera deseado, no podía hacerlo...

El hecho nos lo cuenta la buena Madre Maestra de la Santa, a quien tantos sufrimientos causó aquella dureza de la Madre Priora y de quien tanta admiración mereció la tranquila generosidad de Teresa, que no pudo olvidarlo hasta la más avanzada edad.

En su lugar quedó apuntado que santa Teresa, a pesar de la gravedad de su estado, jamás espantaba las moscas que la atormentaban y asediaban posándosele en la cara y en los ojos. Preguntada acerca de su proceder, respondió: *"El Señor nos manda a los enemigos, y no teniendo yo otros que las moscas, procuro amarlas y soportarlas".*

"¡Poca cosa!", se diría. Pero si es tan poca cosa, ¿por qué las personas sanas tan empeñadas estamos en ahuyentar a tan molestos huéspedes, si alguno nos importuna más, en ponerlo fuera de combate?

"Esto es de almas imperfectas". Sea. Pero no nos forjemos ilusiones. Los santos son desgraciadamente raros; los perfectos están en el cielo, y de imperfectos se halla repleto el mundo; de imperfectos, digo, (los cuales no raras veces se dan aires de perfectos e irreprochables).

* * *

Pero admiremos aún otro rasgo de virtud practicado por Sor Teresa los últimos días de su vida.

Tan evidente es el heroísmo que rezuma este episodio, que leyéndolo, se conmueven hasta las fibras más íntimas y delicadas del corazón.

En *Novissima Verba* créese que el hecho sucedió a últimos de agosto, y Teresa murió en septiembre. Sucedió, pues, cuando el martirio físico y moral de la Santa alcanzó su colmo en intensidad y extensión.

Todas las tardes, una Hermana entraba en la celda de la enferma y se quedaba al pie de la cama, mirándola largamente y sonriéndole mucho...

La heroica Santa devolvíale las sonrisas, pero la Madre Inés comprendió que aquella visita indiscreta debía cansarla mucho, y se lo preguntó.

"Si es muy penoso que nos sonrían cuando sufrimos; pero pienso que también Nuestro Señor, en la cruz, entre tantos dolores, debió ser mirado así, pues nos dice el Evangelio que lo miraban moviendo la cabeza. Este pensamiento me ayuda a sufrir con buen ánimo este sacrificio".

Estas palabras nos revelan que no se trata de una sonrisa benévola y de compasión. Aquella pobrecita estaría quizá mal de la cabeza; pero a nuestros ojos este rasgo de virtud de la Santa supera a todos los otros.

La ironía es algo tremendo, refinadamente cruel para un alma que sufre.

Por la tarde, las impresiones son más vivas y en el silencio de la noche se renuevan y crecen.

¿Quién de nosotros no hubiera pedido a aquella pobre ilusa o enferma que se excusara de hacernos tal visita? ¿Quién, al menos, no hubiese pedido en tono de súplica a la Madre Inés; *"Prohíbale venir más"*? Así, por la noche, no la hubiera turbado aquella muda, prolongada y sangrienta sonrisa...

Pero nuestra Santa no, no pierde la paz ni hace cosa alguna para alejar aquel amargo cáliz.

¡Oh! Aquel intercambio de sonrisas, aquella serenidad inalterable, ¡cómo debían pesar en la balanza de las humanas expiaciones y qué fuerza más potente debían constituir en la grandiosa y sublime Comunión de los Santos!...

* * *

Pudiéramos citar innumerables ejemplos edificantes de Sor Teresa. Todo en ella revela la mortificación: el rostro siempre sereno, la palabra, la mirada, la dignidad de su persona, el dominio en todos sus movimientos. Nada de apoyarse estando sentada; nada de cruzar los pies o las piernas, ni de ladearse; nada de tardar lo más mínimo en acudir a los actos de observancia a la primera llamada; nada de obrar al acaso, sin un fin santo que alcanzar o conseguir.

A Jesús, que se le presentaba bajo cualquier sacrificio, tendía los brazos diciéndole con amor: "¡Ven!", y lo hacía con tanta generosidad, que la vigilancia y mortificación continuas no disminuían poco ni mucho la alegría y jovialidad de su corazón.

Antes de definir a Sor Teresa *"una santa bañada en agua de rosas"*, imitémosla. Veamos de andar su camino sin dejar trasparentarse al exterior la violencia interior; mortifiquémonos sin descanso en todo; mortifiquémonos cada hora, cada momento, no durante días y meses, sino siempre, y sentiremos si el agua de rosas no se cambia pronto en agua de ajenjo, de ajenjo más amargo que el mezclado por los anacoretas en sus frugales comidas. *"A una santa bañada en agua de rosas"* Dios no la habría glorificado tanto. El poder taumatúrgico de la Santa no puede ser más claro y elocuente.

Cuando el cuerpo está sano, la mente tranquila y el viento de la devoción y del fervor sopla en popa, la mortificación se deja sentir menos y se hace más fácil; pero Sor Teresa andaba siempre delicada y malucha. Padecía del estómago; las noches de insomnio se sucedían en las noches de insomnio; faltaban los alimentos adecuados a su complexión; no apagaba su sed; el cielo estaba cerrado para ella; no tenía en la tierra ayuda; su mente y su corazón se veían oprimidos de dolores..., y, con todo, jamás retrocedió un instante en su camino de santidad y perfección.

¿Cómo habría podido el Señor no plegarse a colmar sus deseos? Jesús tenía que cuidar de ella, puesto que ella no cuidaba de sí. Deshojaba sus flores, las daba generosamente sin retener nada para sí; no quería capital alguno en su poder; quería que la muerte la sorprendiera con las manos vacías ante Dios, para atraerse así, por necesidad, la bondad y la misericordia divinas. Nuestras justicias aparecen manchadas ante los ojos purísimos de Dios, pero puestas en sus manos, unidas a sus méritos, adquieren valor inmenso para las almas de nuestros hermanos. Teresa no quería trabajar para sí, sino para los pecadores.

Teresa, que experimentaba de niña tanta alegría al arrojar flores en la procesión del *Corpus* y al arrojarlas muy altas para que tocasen al ostensorio, no había cambiado; continuaba arrojando altas, muy altas sus flores de virtud, para que llegasen al trono de Dios y rindieran al Señor homenaje de alabanza, hicieran las delicias del paraíso y recaudaran refrigerio para la Iglesia purgante y salud y gracias para la militante.

LA HERMANA DE LOS MISIONEROS

Entre las almas de los pecadores que más especialmente tenía Teresa en el corazón estaban las de los pobres salvajes, paganos e infieles, sumidos aún en las tinieblas del paganismo. Surcaban su alma los mares, y allá, en las playas desiertas y salvajes, esparcía también, con la sangre de Jesús y sus méritos, los pétalos de sus místicas rosas.

Veremos cómo la Santa se unió íntimamente con dos jóvenes misioneros. Pero en esto, como en lo demás, con mucha sencillez.

En su unión con Dios aprendía el modo de dirigir a sus novicias, y en la unión con Dios aprendía también el modo de ayudar a los misioneros y de convertir a los infieles y pecadores, según aparece de ésta su constante plegaria breve, compendiosa, elocuente: *"Llévame tras de Ti y correré"*. Siempre la misma idea: acercarse a Dios y santificarse, para hacer el bien a los demás.

Fue Jesús quien le inspiró esta plegaria una mañana después de la comunión: *"Llévame tras de Ti"*... Atrayéndome, atraerás a las almas que amo. Sí; cuando un alma se deja cautivar por el olor de los perfumes de Jesús, no sabe correr sola. Y es que al ser atraída ella, se ve como obligada a formarse un cortejo con todas las almas que ama para llevarlas a Dios. *"Como un torrente arrastra a la profundidad de los* mares lo que encuentra a su paso, así el alma, que se inmerge en el océano sin orillas del amor arrastra en pos de sí todos sus tesoros". Y los tesoros de Teresa no son otros que las almas que a Jesús plugo unir a la suya. Por ellas repite la maravillosa oración, que no sólo fue oída con respecto a los hermanos, a los apóstoles, sino también con respecto a las almas *que por su palabra creerían en El".* Los prodigios de conversiones, acaecidos después de la muerte de Teresa en los países infieles lo atestiguan. Es una cadena maravillosa. Las almas convertidas por los misioneros de Teresa han convertido a otras, y éstas a otras. ¡Oh, qué sublime y tremendo al mismo tiempo es el dogma de la Comunión de los Santos! Todo acto de fidelidad y de amor repercute en las almas y ayuda a la obra redentora de Cristo; un acto culpable la retarda y hasta la inutiliza para almas que Dios tiene establecido se salven por nuestra cooperación.

En 1895 le fue dado por obediencia el primer hermano espiritual.

Un día de colada, Teresa lavaba con todo su ardor, cuando la Madre Inés de Jesús la llamó aparte y le leyó una carta de un joven seminarista que, creyéndose inspirado por santa Teresa, le pedía una religiosa que se consagrase especialmente a su salvación y a la de las almas de que se iba a ocupar enseguida. Sor Teresa se sintió feliz. Sin pensarlo ni pedirlo veía realizado su sueño dorado de tener un hermano misionero.

Era éste el padre Belliére, de los padres Blancos, seminarista entonces, joven de veinte años, entusiasta y lleno de ardor por la evangelización del Africa pagana pero atormentado con frecuencia por el pensamiento de tener que abandonar la familia condenándose a un perpetuo destierro.

La primera carta data de octubre de 1896. Atormentado el pobrecito con la angustia de la próxima partida, pide a Sor Teresa que ruegue por su "mamá", o, mejor, por la tía que había hecho con él las veces de la madre, perdida cuando estaba todavía en pañales. Sor Teresa le responde: *"La porción que le ha caído en suerte es en verdad hermosa, porque el Señor mismo es quien se la ha escogido y El puso primero los labios en la copa que le brinda".* El mayor honor que puede dar a Dios una alma —dice un Santo— no es darle mucho, es pedirle mucho. Jesús le trata como a un privilegiado. Quiere que comience ya su misión y salve por medio del dolor a las almas. ¿No fue con el dolor y muerte con lo que El redimió al mundo? Sé que aspira a la felicidad de sacrificarle la vida, pero el martirio del corazón no es menos fecundo que el de la efusión de la sangre, y éste es ahora su martirio. Tengo, pues, razón en decir que su porción es hermosa y digna de un apóstol de Cristo".

La Santa le pide que rece por ella esta plegaria que le sugiere: *"¡Padre misericordioso! En nombre de vuestro dulcísimo Jesús, de la Santísima Virgen y de todos los Santos, os pido que inflaméis a mi hermana en el espíritu de vuestro amor y le concedáis la gracia de hacer que os ame mucho".*

"Esta espiritual comunión de bienes entre un seminarista, ante el que se extiende un porvenir fecundo, —dice Monseñor Laveille— *y una enferma incurable, tiene algo de celestial, como el comercio de dos purísimos espíritus".*

Teresa les habla muchas veces de su próximo fin: *"Me ha prometido rogar por mí toda la vida. La suya será ciertamente más larga que la mía. Usted no puede cantar como yo:*

"Mi destierro, lo espero, será breve"; pero no debe olvidar su promesa cuando el Señor me lleve junto a Sí.

Siga rezando cada día la misma plegaria, porque en el cielo mi anhelo será el mismo que sobre la tierra: amar a Jesús y hacer que le amen.

"De seguro que me encontrará muy rara y se quejará tal vez de una hermana que se quiere ir al eterno descanso, dejándole solo en la faena. Tranquilícese. No quiero más que la voluntad de Dios, y confieso que, si en el paraíso no pudiese trabajar por su gloria, preferiría el destierro a la patria.

"Desconozco el futuro; pero, si Jesús ha de realizar en el cielo mis presentimientos, le prometo que seré siempre su hermana. Nuestra unión, en vez de deshacerse, será más íntima. Entonces no habrá clausura ni rejas, y mi alma podrá volar a su encuentro en las misiones lejanas. Nuestra porción seguirá siendo la misma; para usted las armas apostólicas; para mí la oración y el amor".

En estilo "valiente y breve" le deja adivinar sus aspiraciones a la perfecta unión con Dios, a la cual le estimula y anima:

"Pienso lo mismo que su director —le dice Teresa—. Usted no puede ser santo a medias. Hay que serlo del todo, o no se es. Presumo que tiene un alma enérgica y por ello me alegro infinito de ser su hermana.

"No crea que me asusto porque me hable de los años malgastados. No. Doy, por el contrario, gracias a Jesús de haberle mirado con mirada de amor, como lo hizo con el joven del Evangelio. Más afortunado que él, respondió usted a la llamada del Maestro divino y dejó todo para seguirle en la edad más bella de la vida, a los dieciocho años".

No contenta con combatir sus aprensiones, lo empuja por el camino de la confianza ilimitada.

"¡Oh, hermano mío! Desde el día en que me fue concedido comprender el amor del corazón de Jesús, confieso que se ahuyentó de mi alma el temor. El recuerdo de mis *culpas me humilla, me obliga a no apoyarme ya en mis fuerzas, que no son más que debilidad, y me habla más y más de misericordia y de amor. ¿Cómo no se consumirán nuestras culpas arrojándolas, con una confianza del todo filial, en las brasas devoradoras del amor?"*

* * *

El segundo hermano lo adquiere Sor Teresa por mediación de la Madre Gonzaga en 1896. Se llama Adolfo Roulland y acaba de ordenarse sacerdote en el seminario de las Misiones extranjeras.

Antes de dejar Francia, sin esperanza de volver, pide al Carmen por medio de un padre Premonstratense, se le conceda una religiosa que se encargue de rogar por él en especial y por las misiones. Obtenida, celebra una de sus nuevas misas en el Carmen de Lisieux, y, antes y después del sacrificio, entabla un breve diálogo con la Santa.

Estas dos almas se habían ligado en el Señor con los vínculos más santos, más íntimos, más dulces.

El 8 de septiembre de 1890 hacía Teresa su profesión y pedía a Jesús que le diese en aquel día un alma apostólica. No pudiendo ser ella sacerdote, quería que en su lugar recibiese un sacerdote las gracias del Señor y tuviese sus mismas aspiraciones y sus mismos deseos. Aquel mismo día acaecía algo especial —que ignoramos— en el alma del joven Roulland, algo que confió a Sor Teresa, y a que alude escribiéndole el 1o. de noviembre de 1896: *"El 8 de septiembre de 1890 puso a salvo su vocación misionera a María, la Reina de los apóstoles y de los mártires; ese día una carmelita se desposaba con el Rey de los cielos. Su única aspiración era salvar almas y, sobre todo, almas de apóstoles, y así pedía a Jesús, su Esposo divino, un alma apostó-*

lica. No pudiendo ser sacerdote, quería que recibiese en su lugar un sacerdote las gracias del Señor y tuviese sus mismas aspiraciones, sus mismos deseos.

"Usted conoce ya a la indigna carmelita que hizo esta oración. Y ¿no cree, acaso, conmigo que nuestra unión espiritual, confirmada el día de su santa ordenación, nació el 8 de septiembre?

"Pensaba yo no encontrar sino en el cielo al apóstol pedido a Jesús; pero el amado Salvador, levantando un poco el velo del misterio, que oculta los misterios de la eternidad, se dignó concederme en el destierro el consuelo de conocer al hermano del alma y trabajar con el en la salvación de los pobres infieles".

El misionero partió para el distrito de SuTchuen y Teresa lo siguió allí. Antes de partir, le había pedido que dijese por ella la siguiente oración: "¡Dios mío! ¡Otorgad a Sor Teresa la gracia de ganar muchas almas a vuestro amor!".

El 30 de Julio de 1896 le escribe: "Quisiera que mi hermano tuviese las consolaciones y yo las pruebas. ¿Será egoísmo? No, no; porque mis armas no son otras que el amor unido al dolor".

Y luego, el 19 de marzo de 1897: "Me alegraría de poder trabajar y sufrir muchísimo por Jesús, y le pido que se contente de mí, es decir, que no se detenga en mis deseos, sea de amarlo sufriendo, sea de ir al cielo a gozarle.

"Santa Teresa de Jesús decía a sus hijas cuando querían rogar por ella: '¿Qué me importa estar hasta el fin del mundo en el Purgatorio si con mis plegarias salvo aunque no sea más que un alma?' Estas palabras hallan eco en mi corazón. Querría salvar almas aun después de mi muerte, y me alegra de que, en vez de la oración que ahora hace por mí, la cual entonces tendrá realización, diga así: '¡Dios mío! ¡Otorgad a mi hermana que os haga amar más y más!'".

Nada más sobrenatural que estas relaciones. A pesar de todo la Santa, prudente como era, comprendió que su ejemplo podría ocasionar algunos inconvenientes, y así, dijo en su lecho de muerte a la Madre Inés: *"Muchos jóvenes sacerdotes, al saber que yo fui dada como hermana espiritual a dos misioneros, pedirán en adelante el mismo favor, lo que puede ser un peligro. Sólo mediante la oración y el sacrificio podemos ser útiles a la Iglesia, debiendo la correspondencia ser rarísima y negada a ciertas religiosas, para quienes sería una preocupación y las movería a creer que obran maravillas, no obteniendo en realidad sino lacerar su alma y acaso caer en los sutiles lazos del demonio. Madre, esto que le estoy diciendo es importantísimo y le ruego que no lo olvide cuando nos apartemos".*

BAUTISMO DE AMOR Y DE DOLOR

"Muchas páginas de esta historia —dice Sor Teresa— *no se leerán sino en el cielo".* Lo que esta alma nos dejó entrever acerca de la entrega incesante de sí misma, fue bien poco en comparación de lo que ofreció a Dios en el secreto del corazón. Ser mártir fue su gran ambición y su deseo ardentísimo, pidiendo a Jesús el día de su profesión le concediera el martirio del cuerpo y del corazón. Fue oída. Sufrió siempre.

"El amor —dice G. Martín, ilustrando el caminito de la infancia espiritual— *trae consigo el germen del dolor, que va desarrollándose a la par que el amor. Es imposible amar a Dios sin sufrir".*

Ante todo es un sufrimiento verlo tan poco amado y ofendido tanto; es sufrimiento no amarlo nosotros mismos a la medida de nuestros deseos; es sufrimiento la limitación e impotencia de nuestro corazón, incapaz de contener las ondas de ternura que le vienen del corazón de Dios y casi lo anegan y lo sumergen.

Hay otra razón por la que toda alma que ama con ardor a Jesús tiene que amar el dolor y aceptar alegre el sufrimiento, y es que, en cuantas cruces se le ofrecen, halla una manera valiosísima para adquirirle almas.

Amar a Jesús no basta a su corazón; quiere a toda costa ganarle otros corazones que lo amen eternamente. Quiere salvarle pecadores. Pero los pecadores no se salvan sino por la aplicación que se les hace de los méritos del Salvador. Sólo la gracia puede convertirlos, y la gracia, fruto del sacrificio cruento del Calvario, llega con frecuencia a las almas por medio de los canales misteriosos, cavados y sostenidos por las humillaciones con que las almas prolongan en el cuerpo místico de Jesucristo el sacrificio de la Cruz...

Los comprados con la muerte de Cristo no se salvan sino por el dolor. Por todas estas razones el dolor es inseparable compañero del amor.

* * *

El amor de Teresa no tenía límites, y tampoco los debe tener el dolor. Si lo vela con la sonrisa, esto no quita ni pone nada a su realidad.

Ante todo, el martirio del corazón. Para declararla santa bastaría tan sólo el heroísmo con que soportó la tremenda prueba de la demencia del padre.

Después de Dios, el padre era todo para ella. En él había concentrado todo su afecto, incluso el ternísimo que profesaba a la madre, perdida tan prematuramente. Poco después de su toma de hábito supo que su inteligencia se había oscurecido, y con esto, ¡cuántos dolores! Pero halló fuerzas para decir a su Madre Maestra que aún podía sufrir más.

Cuando llegó a saber que su pobre padre estaba recluido en una casa de salud, Teresa ya no dijo que podía sufrir más; sintió que la medida estaba colmada y declaró que las palabras no podían expresar la angustia en su corazón y el de sus hermanas, cosa que tampoco intentó.

De su fe, de su profundo sentimiento sobrenatural, sacó fuerzas para llamar bello aquel día, amables aquellos años de martirio que dieron a Dios tanta gloria y ofrecieron tanta materia de sacrificio a sus corazones. Como ya lo vimos, Teresa era sensibilísima, mas, precisamente porque sabía que tenía un corazón capaz de sufrir mucho, anhelaba dar al Señor todos los géneros de sufrimientos que hubiera podido sufrir.

En el monasterio se agudiza la sensibilidad, se eleva el alma y, elevándose, ama más y mejor. Los dolores de la propia familia llegan a ser, por muchísimos motivos, particularmente sensibles y penetrantes. ¡Cuando sabemos que nuestros seres queridos sufren, qué consuelo tener entonces en el monasterio un corazón de hermana donde verter la propia tristeza! Teresa tenía dos. Pero ni una sola vez buscó junto a ellas alivio y consuelo. Jamás ella, la benjamina, fue a echarse en brazos de las mayores para llorar, para buscar un corazón que latiese al unísono con el suyo.

¡Qué fácil es a un pobre corazón que sufre buscar un destello de consuelo humano, permitirse un momento de abatimiento, alguna tentativa para huir de una compañía que por innecesaria se convierte en opresora! En Teresa, nada de esto. Los ángeles eran mudos testigos de su máxima fidelidad en el dolor. Los ojos de Dios leían el martirio de su corazón. Pero a los ojos de las criaturas Teresa aparecía como siempre... Buena, presurosa, complaciente, serena, fiel a los menores deberes.

Sabe permanecer siempre fuerte y generosa al pie de su cruz, que no es en verdad una cruz dorada. El único día que no pudo contener el llanto fue el de la toma del velo, y entonces sus lágrimas no fueron comprendidas. Escribiendo a Celina, le tiembla la mano y apenas puede sujetar la pluma. ¡Tan viva es su emoción, tan abundantes las lágrimas y el dolor tan profundo!... Mas ¡cuán resignados sus acentos! *"Tú sabes cuánto deseaba ver a nuestro padre querido. Pues bien, ahora siento que es voluntad de Dios que falte a la fiesta. Jesús lo ha permitido así sólo para probar nuestro amor. Me quiere huérfana, sola con El sólo, para unirse más íntimamente a mí, y quiere devolverme en la patria las legítimas alegrías que ha querido negarme en el destierro".*

"La prueba de hoy es un dolor difícil de ser comprendido. Se nos ofrecía una alegría posible y natural, extendemos la mano para recibirla y... ¡no podemos tener esta consolación tan deseada! Pero no es una mano humana la que lo ha hecho, sino Jesús. ¡Celina, comprende a tu Teresita, y aceptemos ambas de buen grado la espina que se nos ofrece! La fiesta de mañana será para nosotras fiesta de lágrimas; pero, ¡siento que el Señor se consolará con ellas tanto!..."

¡Cuán bellas y de cuánto aliento y consuelo son las lágrimas de los Santos, que se nos revelan tan humanos, tan tiernos, tan sensibles, tan semejantes a nosotros, mientras los hagiógrafos de otros tiempos se complacían muchas veces en presentárnoslos como seres tan alejados de la tierra, de sus debilidades, de sus dolores; cual seres estoicos, inaccesibles, tan diferentes del común de los hombres! ¡Cómo se equivocaban! Nos hace tanto bien encontrar en los Santos nuestros mismos sentimientos; ver, por ejemplo, a una santa María Magdalena de Pazzis, la Santa sublime, llorar a lágrima viva y gemir pensando en su joven hermano visto en las llamas del purgatorio..., oír el acento con que lo llama *"¡pobrecito mío!"*, oírla sollozar cuando, rogando por la Madre en la agonía, le anuncia la Priora su muerte!...

Sor Teresa tuvo mucho que sufrir del pequeño

grupo de admiradoras de la Madre Gonzaga, una de las cuales, con su espíritu dominador y pesimista, amargaba a la comunidad entera. Teresa nos dice que hay punzadas de alfiler, heridas en el corazón que hacen sufrir mucho. Dice que las recibe con frecuencia, las desea y las ama. Dice también que el Señor le ha presentado más de un cáliz amargo por motivo de sus queridas hermanas... No se declara más. Pero esta frase ¡da tanto que pensar!... Por lo demás, ella no había entrado en el monasterio para vivir con sus hermanas. Presentía más bien, y lo presentía vivamente, que su presencia le sería motivo de agudas penas, decidida como estaba a no dar nada a la naturaleza. Ingresó en el monasterio con el firme propósito de tratarlas como a religiosas, no como a hermanas, y ¡cuántos sacrificios hubo de costarle esto!...

La Madre Gonzaga solía decir: *"Sor Teresa es perfecta. Sólo veo en ella un defecto: tener tres hermanas en el monasterio"*. Pero no había por qué temer. *"Es preciso olvidar* —afirmaba Teresa— *que estamos varias hermanas juntas"*. Y, de hecho, sabía siempre imponerse al corazón para no dejar transparentar en su modo de obrar diferencia alguna entre las hermanas por la naturaleza y las hermanas por la gracia, e incluso sabía inmolar su afecto por aquéllas en aras del afecto a éstas. Había dejado la familia y no quería vivir como en familia.

"¡Oh, mamaíta mía! —exclamó una vez, acordándose del tiempo en que había ayudado a la Madre Inés en el oficio de refitolera— *¡Oh, mamaíta mía! ¡Cuánto sufrí entonces! No podía abrirle mi corazón, y pensaba que usted no debía reconocerme"*.

Así, pues, ni una palabra más de las precisas, de las estrictamente necesarias. Sería muy largo referir los sacrificios que se impuso con respecto a sus amadísimas hermanas.

Cuando parecía, por ejemplo, que se trataba en serio de mandar a la Madre Inés y a Sor Genoveva (Celina) al Carmen de Saigón, la Santa declaró que su corazón se despedazaba de dolor con el pensamiento de las pruebas que esperaban a ambas hermanas. Pero ni una palabra siquiera dijo para detenerlas. Cuando, a su vez, el Carmen de Hanoi recurrió a Lisieux pidiendo a Sor Teresa, se mostró prontísima, mejor dicho, deseosa de desterrarse para siempre en el remoto Tonquín. Hubiera tenido que imponerse un inmenso sacrificio; pero la idea de hallar con el destierro del corazón tantos sufrimientos, atraíala poderosamente. En Lisieux la habían conocido de niña y sentíase amada. En Hanoi nadie la conocía...

EN TINIEBLAS

Para Santa Teresita el martirio del alma fue más breve, pero más tremendo aún.

"Desde pequeñitas, oyendo hablar a nuestros padres de la eternidad —dice la Madre Inés de Jesús—, *nos sentíamos dispuestas a considerar como vanas todas las cosas del mundo".* Desde la infancia Teresa tuvo la certeza de ir un día lejos de su país tenebroso. Aspiraciones íntimas y profundas le decían que una región más espléndida le serviría de morada estable y permanente.

Cuando sobre la terraza de los "Buissonnets", en las serenas noches de estío, Celina y Teresa, amorosamente abrazadas una a otra, se fijaban en la profundidad del cielo, sus almas se sentían totalmente transportadas a los esplendores de la eterna patria, dejándolas por completo al abrigo de toda duda. La fe y la esperanza parecían haberlas abandonado, para dejar únicamente al amor el placer de encontrar a quien buscaba su corazón.

Más adelante, en el locutorio del Carmen, cuando el pobre padre languidecía sumergido en su gran oscuridad, las dos hermanas levantaban los ojos y el corazón más allá de los espacios del tiempo, y para gozar más presto de la eterna felicidad escogían el dolor y el desprecio.

Tan fuerte y estable era su fe en la vida futura y en

la existencia del cielo, que les parecía imposible hubiera en el mundo ateos. Mas he aquí que de golpe, poco después de la Pascua de 1896, la dulce esperanza, la sublime certeza se oscurecieron de pronto, y el alma de Teresa se halló sumergida en la noche profunda de la incredulidad. Una voz parecía repetirle: *"¡Tú sueñas con la luz, con una patria luminosa y con la eterna posesión del Creador de estas maravillas crees salir de las tinieblas que te envuelven. Sigue...; y encontrarás la nada!".*

Sus más bellas poesías datan de esta época. Canta, no lo que cree, sino lo que quiere creer. Ninguna de sus cohermanas sospecha su martirio; sólo la Madre Inés sabe algo de ello. Un día le dice la Santa: *"¡Oh Madre mía! Si mis Hermanas supieran mi sufrimiento, no hablarían así... Ayer fui presa de una verdadera angustia, y mis tinieblas aumentaron. No sé qué maldita voz me decía: "¿Estás cierta de que Dios te ama? ¿Quién ha venido a decírtelo? La opinión de alguna criatura no te justificará ante El"...*

Ella sabía, con todo, resistir a la tentación: *"Sufro mis dudas —decía—, y sufriéndolas no ceso de hacer acto de fe. ¡Que Dios me perdone! El sabe que, sin las consolaciones y gozo de la fe, me esfuerzo en obrar; y tengo hechos más actos de fe de un año a esta parte que durante toda mi vida".*

Declara que no sólo no se rompe el velo de la fe para ella, sino que le es un muro que se levanta hasta el cielo y le cubre el firmamento. Este muro no se le derrumbó sino pocos momentos antes de la muerte. *"Sigue! ¡Sigue!* —continuaba diciéndole el demonio—; *alégrate de la muerte, que te dará, no lo que esperas, sino una noche más profunda, la de la nada...".*

En su lecho de muerte dijo a la Madre Inés, que la velaba; *"Si supieras los pensamientos espantosos que me* atormentan... *Los razonamientos de los más impíos materialistas se imponen a mi espíritu. ¡Oh, madrecita mía! ¿Pueden tener pensamientos semejantes los que aman tanto al Señor?"*

Una vez tuvo ocasión de hablar con el padre Godofredo Magdalena: *"Exteriormente nadie sospechaba su íntimo sufrimiento —dice el padre—, y habiéndole preguntado cómo ocultaba así sus pruebas, me respondió: 'Procuro que ninguno sufra por mis penas, que no son conocidas sino de Dios, de la Madre Priora y del confesor de la comunidad'".* Nada aparecía al exterior. ¡Y decir que la pobrecita había adquirido la certeza de que estaba condenada!...

* * *

Una vez, un rayo de luz rasgó por un instante aquella densa noche. Fue un sueño que puede decirse visión. El 10 de mayo, al rayar la aurora, le pareció encontrarse en una galería subterránea, paseando con la Madre Priora. De pronto vio tres carmelitas; sin saber cómo habían penetrado; pero comprendió que venían del cielo. Estaban envueltas en blancos mantos y amplios velos.

Sor Teresa pensó que sería feliz si viese al menos la cara de alguna de las tres, y he aquí que la más alta de todas se aproximó a ella, que había caído de rodillas, alzó el velo y se la descubrió. Teresa reconoció a la Venerable Madre Ana de Jesús, fundadora del Carmen en Francia. La belleza de aquel rostro era del todo inmaterial; ningún rayo despedía de sí, y, no obstante el tupido velo que cubría a ambas, nuestra Santa veía aquel rostro celestial iluminado de una luz inefablemente dulce, que parecía desprenderse de él y difundirse en derredor.

La Venerable Madre Ana la colmó de caricias. Viéndose objeto de tanto amor, Teresa osó decir: *"¡Oh Madre mía, os suplico me digáis si Dios me dejará mucho tiempo aquí, o si vendrá por mí pronto".*

"Sí pronto, pronto te lo prometo".

—Madre mía, decidme también si el Señor no quiere de mí más que mis pobres actos y mis deseos. Decidme si está contenta de mí"...

Entonces, el rostro de la Venerable reflejó un resplandor del todo nuevo y su expresión apareció incomparablemente más tierna: *"El Señor no quiere más de ti. ¡Está contentísimo, contentísimo!".* Y tomándole la cabeza entre las manos, le prodigó caricias cuya suavidad no sabía expresar con palabras. Sor Teresa sintió el corazón rebosante de alegría, se acordó de las Hermanas y quiso pedir alguna gracia para ellas. Pero en aquel momento se despertó.

"¡Oh Jesús! —dice la Santa—. *¡Vos mandasteis a los vientos y a la tempestad, y sobrevino gran bonanza!".* Cuando se despertó creía y sentía que había un cielo y que ese cielo estaba poblado de seres que la amaban. Pero la alegría duró poco.

Su noche oscura comenzó pocos días después del primer vómito de sangre. Fue durante esta doble prueba cuando oyó la amenaza de la partida de la Madre Inés y de Sor Genoveva, las dos que la Madre Gonzaga había escogido para el Extremo Oriente. Sor Teresa había pedido el martirio del cuerpo o el del corazón, o el de los dos a la vez, y fue oída: a ellos se había unido también el martirio del alma.

VEN, SERAS CORONADA

EL PRIMER ANUNCIO

Sí. Pocos días antes de que comenzasen para ella las grandes pruebas contra la fe, el viernes Santo de 1896, Teresa tuvo un vómito de sangre, primer anuncio de su próxima muerte. Nos lo cuenta ella misma con encantadora sencillez.

La tarde del jueves Santo había pedido pasar la noche en vela cerca del tabernáculo, pero no se le había concedido y a media noche volvía a su celda. Apoyada apenas la cabeza en la almohada, sintió no sé qué cosa que, procedente de la garganta, le subía a los labios y creyó morirse. El corazón le latió de alegría. Pero, habiendo ya apagado la luz, mortificó su curiosidad hasta la mañana siguiente y se durmió tranquila.

¿No es heroica esta paz, esta tranquilidad, esta mortificación, en circunstancia de suyo tan impresionante? Al primer vómito de sangre hasta las personas más animosas y tranquilas sienten una profunda conmoción de terror. En Teresa, nada de esto.

Por la mañana, a las cinco, se levantó como de costumbre, pero con el corazón lleno de una alegría inefable, convencida de encontrarse con alguna buena noticia.

Acércase a la ventana y halla, en efecto, el pañuelo lleno de sangre. ¡Qué alegría para ella sentir que el Amado, precisamente en el aniversario de su muerte, le hace escuchar la primera llamada, semejante a un dulce y suave murmullo que le anuncia el arribo feliz!

Baja al coro y reza prima con el mayor fervor, o, mejor aún, con alegría que le impide sentir la fatiga, el malestar y el cansancio. Se le antoja eterna la tardanza del momento en que arrodillada a los pies de la Madre Priora, deberá darle cuenta de la alegre noticia, y tanto ruega y suplica que obtiene de la misma Priora acabar la cuaresma como la ha comenzado.

Aquel día Teresa se disciplinó con más rapidez y energía que de costumbre por espacio de tres misereres, y hacia la tarde, sin haber tomado en todo el día más que un poco de pan y agua, se ocupó de los quehaceres domésticos. Subida en su escaño limpiaba los cristales de una gran ventana. Tenía la cara lívida... Una novicia se ofreció a reemplazarla... No quiso... Hasta entrada la noche oró e hizo penitencia, y vuelta a la celda oyó de nuevo *"el dulce y lejano murmullo"* de la noche precedente... Así llamaba Teresa al vómito de sangre.

* * *

No se forjaba ilusiones. Había tenido siempre el presentimiento de morir joven.

En esta circunstancia a nadie reveló el suceso, y así no le fueron prodigados cuidados, ni le fue concedido reposo alguno. Sor Teresa continuó trabajando como la más robusta de las monjas, y ni la Madre Inés se percató de su estado. Lamentándose más adelante con Teresa, cercana a la muerte, ésta le respondió:

"¡Oh, madrecita mía! ¡Dé gracias a Dios. Conociendo mi estado habría sufrido mucho de verme tan poco cuidada!"

La Madre Gonzaga era una mujer de fibra fuerte, robusta, que desconocía la enfermedad y no se daba cuenta de las necesidades de las otras. Pero hay que añadir que la Santa logró persuadirla de que sus vómitos de sangre no tenían importancia.

Una tosecilla seca, que no podía disimular, anunciaba a todas, si no el progreso, la existencia, al menos, del mal. El verano lo pasó menos mal. Vino el otoño y finalmente el terrible invierno de 1896. Los ataques de tos se hicieron cada vez más frecuentes y más largos. La Santa se sentía feliz de habitar una celda apartada, donde no era sentida; pero ¡qué noches pasaba!

Llegaba a la celda temblando de frío más de lo acostumbrado, y tan extenuada, tan fatigada, que para llegar a ella tardaba más de media hora y le era necesario agarrarse con fuerza a la barandilla. Los dedos ateridos de frío, le negaban toda ayuda, y así tardaba una hora en desnudarse. Luego tendía sobre el jergón los secos y cansados miembros, que una tos violenta convulsionaba de manera horrible, y por la mañana, al despertar, Teresa se levantaba de nuevo con la comunidad para comenzar otra jornada de martirio. Heroicamente combatía contra el cansancio, el aturdimiento y los vértigos, y proseguía alegre adelante, siempre adelante...

* * *

Al cabo de dos años la fiebre minó su salud. Pero jamás una dispensa del trabajo fatigoso, ni de los ejercicios de comunidad, así que, por la tarde, sentía que durante el rezo del Divino Oficio le faltaba la vida por la violencia que debía hacerse para estar en pie y salmodiar.

Para subir la celda una tarde, tuvo que sentarse en cada escalón, y después hubo de hacer inauditos esfuerzos para desnudarse. Entonces una novicia, Sor María de la Trinidad, a pesar de la prohibición, dio cuenta a la Madre Superiora y se pensó seriamente en curarla. ¡Sólo entonces!

Teresa, tan reconocida como buena, tiene en la *Historia de un Alma* palabras de gratitud para la Madre Gonzaga: *"Los cuidados que me prodigó en mi enfermedad me han instruido mucho sobre la caridad. No hay remedio que le parezca costoso, y si no da resultado, prueba otro sin cansarse. Cuando voy a recreación ¡cómo se cuida de apartarme de todo tropiezo!"...*

De los hechos y de las deposiciones se desprende, con todo, que, por permisión divina, las curas llegaron demasiado tarde, cuando la Madre Gonzaga se convenció de que Teresa estaba gravemente enferma. Ni siquiera puede decirse que fueran excesivas, como tampoco que le produjeran algún alivio en sus dolores.

Dios obró con ella como suele obrar con las almas destinadas al martirio. No obstante aun permaneció durante algún tiempo más en aquella celda: *"Me gozo de sufrir sola* —decía la Santa—, *pues apenas me veo compadecida y colmada de caricias ya no gozo".* *"He llegado* —decía también— *a no poder sufrir, porque todo sufrimiento me es dulce. ¡No os aflijáis por mí!"*

* * *

El 6 de julio de 1897 nuevas hemorragias pusieron su vida en peligro. El médico aseguró que se trataba de una gravísima congestión pulmonar. Y, juzgando que aquel pobre jergón le sería muy incómodo, la hizo trasladar a la enfermería. *"Teresa amaba su celda con aquel amor con que los religiosos aman los lugares donde han combatido, practicando la virtud y recibiendo gracias de Dios. Y he aquí por qué, al dejarla para siempre, exclamó: "He sufrido aquí mucho y en ella moriría gustosa".* Dos días antes dejó traslucirse al exterior su dolorosísimo estado: *"He leído un hermoso pasaje en las 'Reflexiones sobre la Imitación de Cristo'. En el huerto de los Olivos, Nuestro Señor gozaba de todas las delicias de la Trinidad, y su agonía no era por eso menos cruel. Es un misterio, pero os aseguro que comprendo algo de él por lo que experimento en mí".*

HARE QUE CAIGA DEL CIELO
UNA LLUVIA DE ROSAS

¡Pobre Santa, qué atroces dolores hubo de soportar! El médico no hallaba en cada visita palabras suficientes para expresar su admiración. *"¡Si supiesen cuánto sufre! No he visto sufrir tanto y con tal expresión de gozo sobrenatural. Desgraciadamente no podré curarla; pero, después de todo, no ha nacido para permanecer aquí. ¡Es un ángel!".*

Sencilla siempre, cuando admiraban su paciencia, decía: *"No se han dado todavía cuenta de que no es mía, sino del Señor. A cada momento me la da en la dosis que me conviene. Ahora me parece que no podría sufrir más de lo que sufro; pero estoy segura de que, si mis dolores aumentaran, el Señor aumentaría también en mí la fuerza para soportarlos".* No osaba con todo pedir más sufrimientos, porque *"si lo pidiese —decía—, aquellos sufrimientos serían míos y yo jamás he pedido nada por mí misma".*

"Me han repetido tanto —añadía— que soy animosa, y es tan poco verdad, que me he dicho: 'En fin; no está bien hacer mentir a todos'; y con ayuda de la gracia me he puesto a tener ánimo. No temo en verdad los últimos combates ni los dolores de la enfermedad, sean lo grandes que se quiera. Desde mi más tierna infancia Dios me ha ayudado y conducido de la mano. Cuento con El, y estoy cierta de que querrá continuar ayudándome hasta el fin. Podré, pues,

sufrir extremadamente y estoy segura de que no me aban-donará...". ¡Y necesitaba tanto ser animosa!...

Las náuseas eran extremas; todos los días, a las tres la atacaba altísima fiebre; copiosos sudores la extenuaban, siempre en aumento. Dos o tres veces al día le sucedían violentas hemorragias; asaltábanla accesos de tos, acompañados de terribles sofocos, y el éter que la hacían respirar no le producía efecto alguno. ¡Tan fuerte era la opresión! El rostro se mantenía dulcemente ovalado, pero el cuerpo se había convertido en un esqueleto, y los huesos llegaban a perforarle la piel, de manera que en varias partes del cuerpo se le formaron dolorosísimas llagas. La tuberculosis intestinal había degenerado en gangrena, de manera que la santita se apropiaba con derecho las palabras de Cristo: *Ego autem sum vermis et non homo.* La sed ardiente la sumergía, según dicho suyo, en un purgatorio, y nada podía apagarla; las bebidas aumentaban, como aceite hirviendo, la quemazón interna: *"Cuando bebo* —decía— *me parece como si echasen fuego sobre fuego".* Cuando, para calmar los ataques de tos que duraban horas enteras, la sostenían medio sentada, se creía puesta sobre agudas puntas de hierro y conjuraba que rogasen por ella.

Y todo esto —¡pobre criatura!— lo sufría sin que la esperanza del cielo la sustentase.

Las tinieblas persistían densas y profundas. Los dos martirios, el del alma y el del cuerpo, fundiéndose en uno, tenían a la Santa sobre la cruz más dura y tremenda. El Señor le pidió el sacrificio de todo, hasta el de la Sagrada Comunión.

Del 16 de agosto hasta el 24 de septiembre no pudo recibirla, a causa de los continuos vómitos.

¿Acaso no había pedido a Jesús, en su ofrecimiento al Amor misericordioso, que quisiera permanecer en su corazón de comunión a comunión perenemente? Santa Teresa sabía bien que Jesús está siempre presente en el alma en gracia. Era, pues, un milagro lo que pedía al Señor: no ésta presencia, sino la sacramental. Y ¿quién sabe si el Señor no la había oído privándole de la comunión, inútil ya para ella, dado el caso que albergase de continuo a Jesús Sacramentado?

El 6 de agosto, fiesta de la Transfiguración, pusiéronle junto al lecho una bella imagen de la Santa Faz, rodeada de flores y alumbrada por una lámpara. Aquélla fue para ella la noche más terrible. Hasta las tentaciones contra la fe parece que aumentaron. "*¡Oh madre mía!* —dice a su hermana— *¡Oh cómo he sido tentada esta noche! Mas no he dejado de mirar a la Santa Faz y de formular actos de fe*".

Conoció el dolor, cuanto puede conocerse. "*¡Madre mía!, ¡ruegue por mí! ¡Si supiera cuánto sufro!... Pida que no pierda la paciencia... Tengo necesidad de la ayuda de Dios...¡Y decir que había deseado tanto todo género de martirio!... Hay que padecerlo para comprenderlo. Ahora veo que los que no tienen fe se den la muerte por no sufrir tanto. Si tienen enfermedades con dolores tan atroces como los míos, que no dejen al alcance de su mano medicinas venenosas, porque le aseguro que, si sufren así, basta un instante para que pierdan la razón*".

"*¡Qué felicidad* —decía— *verme destruir y convertirme en esqueleto! Es cosa que me agrada. Habrá necesidad de decir a las almas que siento en el fondo del alma alegrías y transportes, pero esto les animaría poco si no creyesen que he sufrido mucho... ¡Oh, si supiesen lo que sufro! Esta noche, no pudiendo más, he pedido a Nuestra Señora que tomase mi cabeza entre sus manos para poderla soportar...*

"*Mi alma* —y señalaba un punto oscuro y negro

del jardín— *es un túnel negro, como aquel; pero estoy en paz"*. A pesar de su estado, jamás dejaba de dibujar en sus labios tierna sonrisa, y sus modales, infantiles y graciosos, continuaban haciendo gratísima su compañía. Todas querían verla y oírla. *"No obstante los terribles sufrimientos y las tinieblas de su alma, permanecía como un niño —dice la Madre Inés de Jesús— y la parte superior de su alma permanecía tranquila y serena bajo la acción de la gracia. Entonces era cuando me confiaba sus inmensos deseos y la esperanza de verlos pronto realizados: 'Como Juana de Arco en su prisión, yo estoy ahora en el cepo; pero presto me veré libre y será el tiempo de mis conquistas.*

'Cuando sufro mucho —añadía—, cuando me suceden cosas penosas y desagradables, en vez de adoptar un aire triste, respondo con una sonrisa. Al principio no lo lograba siempre, pero me he habituado y me siento feliz por haberlo logrado'".

Pues bien, en este estado, sumergida en este mar de dolor, después de haber sufrido innumerables botones de fuego (nótese que eran terribles a más no poder los remedios que se le recetaban), postrada sin fuerza sobre un pobre lecho, la santita oyó a una Hermana decir: *"Pronto morirá Sor Teresa del Niño Jesús, y me pregunto qué podrá escribir de ella la Madre Priora después de su muerte. Creo que se encontrará muy embarazada, pues esta monjita, bien que amable, no ha hecho cosa alguna que merezca ser contada"*. Tuvo que sufrir la dureza y poca delicadeza de algunas monjas. Llegó a saber que otra Hermana había dicho de ella: *"No sé por qué se habla tanto de Sor Teresa del Niño Jesús. Nada de especial, ni siquiera se puede afirmar que sea una buena religiosa"*.

Y la Santa, cerciorada de esto, sonrió plácidamente y no pudo ocultar su alegría a una Hermana de probada virtud que vino a visitarla. *"¡Oír decir en el lecho de la muerte que no es una buena religiosa!... ¡Qué alegría!"* Al recordar este episodio la visitante decía después con razón: *"Este es el recuerdo más edificante que guardo de la Sierva de Dios".* Un alma menos humilde, menos confiada, habría sufrido sabe Dios qué angustia de espíritu; pero ella quedó tan tranquila; sabía no tener nada, no poder nada; toda su riqueza, su fuerza, su salud, había sido siempre la misericordia de Dios...

Muy diverso era el pensamiento de Él respecto de ella. Todo el paraíso estaba como suspenso en torno de aquel lecho, en espera de recoger aquel corazón, que no había latido sino para Dios; el último suspiro de aquella víctima inmaculada y santa, que había franqueado de par en par las puertas de su alma para dar cabida a la llama del amor procedente del corazón divino. Un poco más, y esa llama la consumiría totalmente.

La tarde del 4 de junio, Sor Teresa apareció como transfigurada y cual si ya no sufriera. Las Hermanas estaban en su celda: *"Oh, Hermanas mías —les dijo—, ¡qué feliz soy! Veo que voy a morir pronto. Estoy cierta de ello. No os maravilléis si no me aparezco a vosotras después de mi muerte. Recordad que es este mi caminito: no desear nada de esto. Saber lo que tengo repetido más de una vez a los ángeles y a los santos: 'No es mi deseo veros aquí'.*

"Quisiera, no obstante, tener una buena muerte para daros contento...

"No os aflijáis si sufro mucho y si, como os he dicho, no veis en mí señal de felicidad después de mi muerte... También Nuestro Señor fue víctima del amor, y ya veis cuál fue su agonía...

"No sé si iré al Purgatorio; pero si voy, no me arrepentiré de haber hecho nada para evitarlo; no me arrepentiré de

haber trabajado únicamente por salvar almas. ¡Cuán feliz soy pensando que también Nuestra Señora Madre Teresa pensaba del mismo modo!".

Entre tanto amor y tanto dolor, Teresa comenzó a hablar de su celestial misión en tono profético.

"No he dado a Dios otra cosa sino amor, y Dios no me dará sino amor. Después de mi muerte haré descender sobre la tierra una lluvia de rosas".

Una monja le habló entonces de la bienaventuranza celestial, y ella le interrumpió diciendo:

— *No es eso lo que me atrae.*

— *¿Qué es entonces?*

— *¡Es el Amor! Amar y ser amada, y volver aquí para hacer amar al Amor.*

* * *

Una tarde acogió a la Madre Inés con más serenidad de lo acostumbrado, diciéndole:

"¡Madre mía! He escuchado algunas notas de un lejano concierto y he pensado que pronto oiré melodías incomparables. Pero esta esperanza no ha podido alegrarme un instante. Una sola esperanza hace latir mi corazón: es el amor que recibiré y el que podré dar".

Estas profecías llegaron a ser más claras y solemnes el 17 de julio. El 16, fiesta de la Virgen del Carmen, había recibido la Sagrada Comunión de manera conmovedora.

Se la había traído un nuevo sacerdote, que iba a celebrar la primera misa en la capilla de las carmelitas. El pavimento del claustro desapareció bajo un tapete de flores campestres y rosas deshojadas; la enfermería estaba tapizada como un santuario, y antes de que el cuerpo de Jesús se posase en los labios de la futura Santa, María Guerín —Sor María de la Eucaristía— cantó con su dulce y melodiosa voz una estrofa de la poesía compuesta por la misma Santa con el título de *"Vivir de amor"*.

> *¡Morir de amor! ¡Oh, qué martirio santo,*
> *es el que yo quería soportar!*
> *¡Desgranad, querubines, vuestro canto!*
> *Siento que mi destierro va a acabar.*
> . . . .
> *Cumple mi sueño, cúmplelo, Señor.*
> *¡Hazme morir de amor!*

— *"Siento que mi misión va a comenzar* —dijo el día 17—; *mi misión de hacer amar a Dios como yo lo amo..., de dar a las almas mi vida. Quiero pasar mi paraíso haciendo bien en la tierra, y esto no es imposible, porque en el seno mismo de la visión beatífica velan los ángeles por nosotros. No, no podré tener descanso hasta el fin del mundo. Cuando el ángel diga: 'Ya no habrá más tiempo, entonces descansaré y podré gozar, porque el número de los elegidos estará completo".*

—¿*Cuál es, pues, el caminito que usted quiere enseñar a las almas pequeñas?*

— *"¡Madre mía! Es el camino de la infancia espiritual, es el camino de la confianza y del total abandono. Quiero enseñarles los pequeños medios que tan buen resultado me han reportado a mí y decirles que no hay más que una cosa que hacer acá abajo: regalar a Dios flores de pequeños sacrificios y ganarle con caricias. Así le he ganado yo, y sé por esto que seré bien recibida. Ninguna confianza en Dios, tan poderoso y tan misericordioso, es demasiada. Todo se obtiene de El en proporción con nuestra esperanza...".*

Y Teresa no sólo enseña su caminito a las almas puras, buenas e inocentes, sino a todas, aun a las más grandes pecadoras. Si se eleva a Dios por medio de la confianza y del amor, no es porque El las haya preservado del pecado mortal. Aun cuando pasaran sobre su alma todos los delitos de la humanidad, sabe a ciencia cierta que no perdería nada de su confianza. Con el corazón despedazado por el arrepentimiento, iría a arrojarse en los brazos de su Salvador, cuyo amor al hijo pródigo conoce, cuyas palabras a la Magdalena, a la adúltera, a la Samaritana, ha oído. Nada la asusta, pues sabe bien cuánto es el amor y la misericordia del Señor. Y sabe más... Sabe que todo aquel cúmulo de ofensas desaparecería en un abrir y cerrar de ojos, como una gota de agua arrojada sobre una brasa ardiente...

Para confirmación de su pensamiento trae un ejemplo de las vidas de los padres del yermo: Una vez uno de ellos convirtió a una pecadora, cuyos desórdenes escandalizaban a la comarca entera. Tocada de la gracia, la pobrecita siguió al Santo al desierto para hacer penitencia. Pero la primera noche de viaje, antes de llegar al lugar de su retiro, el ímpetu de su arrepentimiento, lleno de amor, rompió los lazos que la sujetaban a la tierra. En el mismo instante vio el solitario a aquella alma llevada por los ángeles al seno de Dios.

"He aquí —decía la Santa— *un ejemplo impresionante de cuanto yo quisiera decir. Pero estas cosas no se pueden expresar".*

A todos los pecadores hubiera querido inculcar estos sentimientos, a todos hubiera querido conducir por su caminito y suspenderlos de los brazos de Dios.

Empeoraba en tanto de día en día. *"No queráis conservarla en este estado* —decía el médico—, *porque es espantoso lo que sufre. Pero ¡qué ángel!, ¡cómo sonríe siempre!"*

182

SUPREMAS EFUSIONES

En el lecho de muerte quiso despedirse de todos los seres más queridos que tenía en el mundo: de sus Hermanas carmelitas, para quienes copió la deliciosísima carta del Beato Teófano Vénard, el mártir angelical tan semejante a ella, el cual tanto le atraía por su amor a María Inmaculada y a la familia. *"Mi alma se asemeja a la suya"* —solía decir la Santa—. Escribió también a Leonia, a sus dos hermanos misioneros y al tío Guerín.

Decía en su carta al reverendo padre Roulland: *"Le anuncio con alegría mi próximo ingreso en la bienaventurada ciudad"*.

"Lo que me atrae a la patria celestial es la esperanza de amar finalmente a Dios, como tanto lo he deseado y el pensamiento de poderlo hacer amar de una multitud de almas que lo alaben para siempre".

"En el momento de comparecer ante El, comprendo cada vez más que una sola cosa importa: trabajar únicamente por Dios y nada hacer por uno mismo ni por las criaturas. Jesús quiere poseer todo su corazón y es necesario sufrir mucho para esto; pero ¿qué alegría no inundará su alma cuando llegue el momento bienaventurado de su entrada en el cielo? Yo no muero. Entro en la vida..., y desde lo alto de los cielos le haré comprender lo que no puedo decirle aquí".

Y al abate Belliére: *"¿No es Jesús el único tesoro?*

Pues bien, El está en el cielo, y allí debe estar su corazón. Este dulce Salvador tiene ya olvidadas hace tiempo sus infidelidades, y sólo tiene presentes sus deseos de perfección para inundarle de gozo el corazón. Le suplico no se detenga a los pies de Jesús, sino que siga el impulso que intenta arrastrarlo a sus divinos brazos. Este es su lugar. Lo infiero de su última carta. Erraría miserablemente si pretendiera ir al cielo por otro camino que el de su hermana...".

"Cuando reciba esta carta quizá ya no estaré aquí, sino en el seno de las eternas delicias. Nada sé del futuro; pero puedo decirle con certeza que el Esposo está a la puerta. Sería necesario un milagro para detenerme en el destierro, y no creo que Jesús haga cosas inútiles.

"¡Oh, hermano del alma, qué feliz soy en morir! Sí. Soy feliz, no por librarme de los dolores de acá, pues el amor unido al dolor es lo único que me parece deseable en este valle de lágrimas, sino porque siento que es la voluntad de Dios, y veo que allí, en el cielo, mucho mejor que acá en la tierra, seré útil a las almas que me son queridas, y en especial a la suya.

"Cuando mi hermano parta para el Africa lo seguiré, no sólo con el pensamiento y con la oración, sino que estaré siempre con él y la fe sabrá descubrirle la presencia de una hermanita que Jesús le dio para sostén, no para dos años apenas, sino para todos los días de su vida.

"Estas promesas le parecerán quizás un tanto quiméricas. Pero debe saber que Dios me ha tratado siempre como a un niño mimado".

El día anterior, hablando con sus Hermanas, habíanle preguntado éstas: *"¿Nos mirará desde el cielo?"* —*"No; bajaré a la tierra"*— les respondió la Santa con tono profético. Y añadió: *"Pienso en todo el bien que podré hacer después de la muerte: procurar el bautismo de los niños, ayudar a los misioneros y a toda la Iglesia"*.

* * *

El pobre aspirante a misionero quedó desconcertado con la noticia de la próxima muerte de aquella con cuya ayuda había contado para largo tiempo. La Santa le reprende de esta pena, y, tras algunas palabras de aliento, le dice: *"Siento que ambos debemos ir al paraíso por el mismo camino, esto es, por el dolor unido al amor. Cuando arribe al puerto le enseñaré a navegar por el mar tempestuoso del mundo con el abandono y el amor de un niño que sabe ser amado del padre y no quiere abandonarlo en la hora del peligro"*.

"¡Oh, cuánto quisiera hacerle comprender la ternura del corazón de Jesús y lo que espera de usted! Su última carta ha conmovido dulcemente mi corazón".

"He comprendido hasta qué punto es su alma hermana de la mía, puesto que está llamada a elevarse a Dios por el ascensor del amor y no por la áspera escalera del temor. No me sorprende que la familiaridad con Jesús le parezca difícil".

No se llega a ella en un día, pero estoy cierta de que le ayudaré mucho más a avanzar por este camino delicioso cuando me vea libre de este cuerpo mortal, de modo que pronto dirá con san Agustín 'El amor es el peso que me lleva tras de sí'".

Hasta su postrer suspiro fueron los misioneros su más dulce preocupación. Fiel a la obediencia que le había impuesto la Madre Priora, iba todos los días, antes de caer definitivamente en cama, a darse un paseíto por el jardín. Pálida, acabada, encorvada sobre el bastón, parecía una sombra ambulante. *"Ha-*

cía mejor en acostarse —le dijo una vez cierta monja—. En el estado en que está, pasear no hace sino cansarla muchísimo.

"Es verdad —replicó la Santa—. Pero, ¿sabe lo que me da fuerzas? Camino por un misionero. Pienso que allá lejos, muy lejos, uno de ellos está quizás exhausto a causa de sus correrías apostólicas, y es precisamente para disminuir sus fatigas por lo que sufro las mías".

La carta por ella escrita a su tío Guerín es un encanto de afectuosa simplicidad, y la respuesta es tan bella que no podemos omitirla:

"¡Querido angelito mío! Tu carta nos ha causado una sorpresa y una alegría indecibles. Me ha hecho llorar. ¿De qué naturaleza eran aquellas lágrimas? No puedo analizarlas. Eran provocadas por un cúmulo de diversos sentimientos: el orgullo de tener una hija adoptiva semejante; la admiración de tanto ánimo y de tanto amor de Dios y —no puedo ocultarlo, amor mío— la tristeza de la naturaleza frente a una separación que parece eterna. La fe y la razón protestan y nos sujetan con sus argumentos, pero son incapaces, con todo, de detener los gemidos dolorosos del corazón. Tú eres la perlita, el último retoño de tu buena madre; eres la 'reinecita' de tu anciano padre; eres la flor más bella que descuella entre la corona de lirios que me rodean y me hacen pregustar las perfecciones celestiales. Por grande que sea el dolor que en ciertos momentos me domina y me oprime, jamás ha atravesado por mi mente la idea de disputarte a las ternuras del Esposo que te llama.

"Refiérese que el cisne, silencioso y mudo durante la vida, entona un canto sublime al avecinarse la muerte. Tu carta, amor mío, es el último canto que nos envías. Los santos pensamientos que nos inspira nos ayudarán a participar algo de aquella llama de amor divino que te consume y a la cual deseas unirte más íntimamente.

"¡Oh, pequeña alma privilegiada, que desde la más

tierna infancia viste la zarza ardiente, te dejaste fascinar por su luz y te llegaste tanto a ella que presto te hiciste con ella una misma cosa! ¡Adiós, querida niña mía, perla preciosa que tu buena madre me confiara! El recuerdo de tus virtudes y de tu inocencia no me abandonará jamás, y espero que tus oraciones me valdrán de mucho para reunirme un día con todos mis seres queridos en la mansión eterna.

"El que cree tener algún derecho de llamarse tu segundo padre y te abraza desde lo más profundo de su corazón".

ISIDRO GUERIN

Al leer esta carta la Santa se conmovió. Era como su última mirada retrospectiva a las alegrías y ternuras de otros tiempos, su postrer mirada a las cosas y seres queridos de aquí...

A continuación recogióse dulce y sencillamente en su interior, abismándose toda en el pensamiento del próximo encuentro con el Amado.

LOS ULTIMOS DESTELLOS
DE UNA LLAMA TERRENA

"*¡Temo haber tenido miedo de la muerte!* —dijo el 11 de septiembre—. *Pero no lo tengo de lo que me pueda suceder después... Me pregunto solamente: ¿Qué será esta separación misteriosa del alma y del cuerpo? Es la primera vez que experimento cosa semejante; pero me abandono en los brazos de Dios. Deme el crucifijo, se lo ruego, para que lo bese y gane la indulgencia plenaria en favor de las almas del purgatorio. ¡No les puedo dar más que esto!*"

El 14 de septiembre le trajeron una rosa y se puso a deshojarla, enjugando con cada uno de sus pétalos las llagas del Salvador moribundo. Las hojas se deslizaron del lecho a la tierra, y ella dijo: "*Recogedlas, que un día os darán placer*". Así fue; y no sólo dieron placer, sino que obtuvieron favores singulares.

Con calma sorprendente confiaba las últimas disposiciones a su mamaíta: "*Soy como un niño pequeño, muy pequeño. A veces no pienso en nada sino en unirme con sencilla conformidad a cuanto el Señor quiera, sufriendo cada momento lo que me manda, sin preocuparme del futuro. No me alegro de la muerte sino porque es la expresión de la voluntad de Dios sobre mí. No deseo más morir que vivir. Naturalmente prefiero la muerte, pero, obligada a escoger, no escogería nada; nada quiero sino lo que hace el Señor*".

En lo más agudo de la crisis repetía: *"Dios mío, tened piedad de mí, Vos que sois tan bueno!"*

Faltándole la respiración, a cada expiración dolorosa gemía: *"¡Sufro, sufro!"* Y a este propósito, dijo así un día a su fiel enfermera: *"Cuando digo sufro, diga usted: tanto mejor; porque es lo que querría decir para completar mi pensamiento. Pero no siempre tengo fuerzas".*

Desde el 25 de septiembre en adelante quedó imposibilitada de todo movimiento y no podía articular palabra sin sufrir dolorosamente. Una de sus últimas alegrías fue la visita de un pajarillo que, entrando por la ventana, vino a posarse sobre su lecho, mirándola, saltando y haciendo mil graciosidades.

Una tarde, una tortolilla, venida no se sabe de dónde, se posó gimiendo en la ventana de la Santa. Tanto la enferma como Celina recordaron entonces el pasaje del Cantar de los Cantares: *"El canto de la tórtola ha resonado en nuestra tierra: Levántate, querida mía, paloma mía, y ven, porque ya ha pasado el invierno".*

Cedamos aquí la pluma a la Madre Inés de Jesús, única que puede, sin profanarlas, narrar las últimas horas de su hermanita:

El 27 de septiembre vino una novicia un momento a la enfermería y, viendo a Sor Teresa tan tranquila y serena, a pesar de la violencia de sus dolores, exclamó: *"Es un ángel de paciencia y de mansedumbre".*

— *"Oh, no* —replicó la Santa—, *no soy un ángel. Los ángeles no pueden sufrir; no son tan felices como yo".*

El 28 dijo: *"El aire de acá me falta. ¡Cuándo será que Dios me dé el celestial!"*

El 29, víspera de su muerte, pareció entrar desde la mañana en agonía. Padecía penosísima ronquera y no podía respirar. A mediodía, dijo a la Madre Priora:

¡Madre! ¿Entré ya en agonía? ¿Qué haré al morir? No voy a saber morir...

Le leí en francés el oficio de san Miguel Arcángel y las plegarias de los agonizantes. Cuando se trató de los demonios, con un gesto infantil como de amenaza, exclamó sonriendo:

— *"¡Oh, oh!"* Como si dijera: *"No les temo".*

Después de la visita del médico, dijo a la Madre Priora:

— *"¡Madre! ¿Será hoy?"*

Le respondió afirmativamente, y yo añadí. *"Hoy el Señor está muy contento".*

— *"Y yo también —respondió amorosamente Teresa— ¡Si muriese pronto, qué felicidad!"*

Al mediodía:

— *"No puedo más! ¡Haga rogar por mí! ¡Si supiese!"*

A Sor Genoveva de la Santa Faz, que le pedía una palabra de despedida:

— *"Lo he dicho todo. Todo está consumado. No hay cosa de valor fuera del amor".*

Después de maitines, soportando un verdadero martirio, juntó las manos y con voz dulce y lastimosa dijo:

— *"¡Sí, Dios mío! ¡Sí, Dios mío; sí lo quiero todo!"*

— *"No, madre, no es atroz; pero es mucho. Todo lo que al presente puedo soportar".*

Rogó que la dejasen sola de noche; pero la Madre Priora no lo quiso consentir. Sor María del Sagrado Corazón y Sor Genoveva de la Santa Faz se repartieron el consuelo de velarla.

La mañana del 30 de septiembre la velé yo durante la misa. No me decía nada. Estaba exhausta, anhelante. Intuí que sus dolores debían ser inexplicables. De repente, juntó las manos y, mirando la estatua de Nuestra Señora, que estaba frente al lecho, dijo:

— "¡Oh, la invoco con gran fervor! Es la agonía pura, pura, sin mezcla de ninguna consolación".

Puede decirse que todo el día, sin momento de reposo, lo pasó en el tormento. Parecía que no pudiese tener ya fuerzas, pero con gran sorpresa nuestra, se movía y se sentaba en el lecho:

"¿Ve, Madre —decía—, cuánta fuerza tengo hoy? ¡No! No muero. Y acaso habrá vida para rato. Por ahora no pienso en la muerte, no pienso en el dolor. Mañana será peor aún. ¡Bien! Perfectamente... —¡Oh, Dios mío!... — Lo amo mi buen Dios!... ¡Virgen buena, venid en mi ayuda! Si esto es la agonía, ¿qué será la muerte?... ¡Oh Madre mía! Le aseguro que el cáliz está lleno hasta el borde; pero Dios no me abandonará. Nunca me ha abandonado... —¡Sí, Dios mío! Cuanto queráis, pero tened compasión de mí... —¡Hermanas mías, rogad por mí!... —¡Dios mío, Dios mío, Vos que sois tan bueno! ¡Oh, sí sois bueno!... —¡Lo sé!"...

Hacia las tres, extendió los brazos en cruz. La Madre Priora le puso en el regazo una imagen de la Virgen del Carmen. La Santa la miró un momento y dijo:

—"Oh Madre mía, presénteme pronto a Nuestra Señora! ¡Prepáreme a bien morir!"

La Madre Priora le respondió que, habiendo comprendido y practicado siempre la humildad, la preparación estaba hecha. Teresa reflexionó un instante y respondió humilde:

—"Sí, me parece que no he buscado sino la verdad. Sí, he comprendido la humildad de corazón".

Y repitió también:

—"Cuando tengo escrito sobre mi deseo de sufrir, ¡oh!, es puntualmente la verdad".

Y con firme seguridad:

—"No me arrepiento de haberme abandonado al Amor".

Desde aquel momento pareció que no era ella

quien sufría. Muchas veces, mirándola, pensé en los mártires entregados al verdugo y sostenidos por divina virtud. Repitió con ardor:

—"¡Oh! No me arrepiento de haberme abandonado al Amor. ¡Todo lo contrario!"

Poco después dijo:

"No hubiera creído jamás posible sufrir tanto. ¡Jamás, jamás! No me lo puedo explicar sino pensando en los ardientes deseos que he tenido de salvar almas".

Con angustia:

—"No puedo respirar; no puedo morir".

Y resignándose:

—"Sí, quiero sufrir aún más... Desde el momento en que mis menores deseos han sido cumplidos, se cumplirá también el más grande: morir de amor".

Hacia las cinco hallábame sola con ella. Su cara se inmutó de improviso. Comenzó la agonía.

Cuando la comunidad entró en la celda, la acogió con una dulce sonrisa. Tenía en la mano el crucifijo y lo miraba sin cesar.

Por más de dos horas un ronquido sordo laceróle el pecho. Tenía la cara congestionada, las manos lívidas, los pies helados y temblaba como una hoja. Un abundante sudor le goteaba de la frente, rondando por la cara. La opresión cada vez creciente, hacíale de cuando en cuando exhalar con la respiración débiles suspiros.

Parecía tener la boca tan abrasada que Sor Genoveva de la Santa Faz, pensando aliviarla, le puso un pedacito de hielo en los labios. Nadie olvidará la mirada y la sonrisa del todo celestial con que entonces premió nuestra querida Santa a su "Celina". Fue como un reactivo sublime, un adiós supremo.

A las seis, al sonar el ángelus, levantó los ojos suplicantes a Nuestra Señora.

A las siete y pocos minutos, creyendo la Madre Priora estacionario su estado, hizo retirarse a la comunidad. La Santa suspiró:

—"*¡Madre! Pero ¿no es esta la agonía?... ¿No moriré?*"

—"*Sí, hija, es la agonía; pero Dios quiere prolongarla quizá algunas horas*".

—"*Bien*—. *¡Sea, sea! No querría* —replicó animosa— *sufrir menos*".

Y mirando al crucifijo:

—"*¡Oh lo amo! ¡Dios mío... yo... os... amo!*"

Pronunciadas estas palabras, se desplomó dulcemente hacia atrás quedando con la cabeza inclinada hacia la derecha. Creíamos que todo había acabado, y la Madre Priora hizo tocar apresuradamente la campanilla de la enfermería para llamar a la comunidad:

"*¡Abrid todas las puertas!*" —decía (en la estancia no éramos más que tres)—. Estas palabras tenían algo de solemne en aquella hora suprema, y pensé que el Señor en el cielo las repetiría a sus ángeles.

Las monjas tuvieron tiempo para arrodillarse en torno de su lecho y ser testigos del éxtasis del último momento.

El rostro de la Santa había tomado el color de la azucena, lo mismo que cuando estaba sana, y sus ojos estaban fijos en lo alto, radiantes y con expresión de una felicidad que sobrepujaba toda esperanza. De cuando en cuando movía la cabeza, como si alguien la hubiera herido repetidas veces con dardo de amor.

A continuación del éxtasis, que duró por espacio de un Credo, cerró los ojos y exhaló el último suspiro.

Eran cerca de las siete y veinte.

Nuestra santa hermana conservó de muerta una sonrisa inefable y una hermosura encantadora. Apretaba de tal manera el crucifijo, que hubo necesidad de quitárselo a viva fuerza de las manos para amortajarla.

Sor María del Sagrado Corazón y yo cumplimos este oficio, junto con Sor Ana de Jesús, antigua enfermera. Observamos entonces que Teresa parecía tan joven que no mostraba tener más de doce o trece años.

Después, cuando fue puesta en el coro, su cara tomó una expresión imponente. Los miembros permanecieron flexibles hasta la sepultura, que tuvo lugar el 4 de octubre de 1897.

Noté además otros dos detalles aquella tarde del 30 de septiembre:

Durante la larga agonía de Santa Teresa del Niño Jesús multitud de aves parecían haberse dado cita sobre un árbol vecino a la ventana de su celda, cantando alegremente hasta el momento de su muerte. Jamás habíamos oído tal concierto en el jardín, y experimentamos por ello una dolorosa impresión por el contraste entre tantos dolores y tan alegres notas.

Una de las monjas ancianas, que no siempre había comprendido a nuestra Teresita, me dijo después, toda conmovida:

—"¿No ha notado, Madre, aquellos cantos de los pajaritos? Por cierto que era cosa extraordinaria".

Además, había asegurado nuestra santita durante la enfermedad, que en el momento de su muerte el tiempo abonanzaría. Ahora bien, todo aquel 30 de septiembre había estado gris y lluvioso; pero hacia las siete de la tarde, las nubes se disiparon raudas y las estrellas comenzaron a parpadear brillantes en un cielo purísimo...".

EL POR QUE DE UNA AUTOBIOGRAFIA

En vez de la circular en uso, que suele enviarse a todos los conventos de la Orden a la muerte de cada religiosa —circular que contiene una breve noticia de la difunta—, en octubre de 1898 se mandaban a todos los conventos del Carmen la *Historia de un Alma,* esto es la autobiografía de Sor Teresita del Niño Jesús.

Pero, ¿cómo y por qué fue escrita esta autobiografía?

A veces cosas insignificantes a nuestros ojos tienen su eterno por qué en el pensamiento de Dios, en la voluntad de Dios. Son como centellas capaces de producir un vasto incendio, gérmenes de una floración ilimitada de los más asombrosos resultados. Tal ocurre en nuestro caso.

* * *

Una tarde de diciembre de 1894 la Madre Inés, entonces Priora, Sor María del Sagrado Corazón y Sor Teresa, estaban juntas al calor de la lumbre en la sala de la comunidad. La presencia de la Madre Priora les permitió entretenerse un momento en refrescar gratos recuerdos.

Sor Teresa, que ponía en sus narraciones una graciosa ingenuidad de niña, refirió algunos episodios de su juventud, tropel de recuerdos y sentimientos vivos y profundos.

Sor María del Sagrado Corazón, tomando después aparte a la Madre Priora, le dijo:

"*¿No le parece deplorable que Sor Teresa del Niño Jesús escriba versos para contentar a esta o aquella monja y que no escriba los recuerdos de su infancia? Nuestra Hermana es un ángel que no permanecerá mucho tiempo aquí. Y algún día lamentaremos haber perdido particularidades para nosotras tan interesantes*".

La Madre Priora vaciló durante una semana, y al cabo concluyó por imponer a Sor Teresa el precepto de traerle para su fiesta la narración de los principales sucesos de su infancia.

Obedientísima siempre, puso manos a la obra al comenzar el año 1895, no dedicándole sino raros momentos, porque el oficio de sacristana la ocupaba con frecuencia las horas libres. Esto no obstante, el 20 de enero de 1896 estaba acabada. Yendo a la oración de la tarde, pasó delante de la Madre Priora, se arrodilló y le entregó el manuscrito, nítido, sin una tachadura, pero en papel que una criada hubiera desdeñado.

La Madre Inés no respondió sino con un leve movimiento de cabeza, puso el manuscrito en el pupitre y, mortificándose, no lo leyó hasta unos meses después, cuando, libre del priorato, tuvo más tiempo a su disposición.

Durante aquellos meses ni una sola vez se ocupó Teresa de la suerte de su manuscrito, y habiendo llegado a saber que ni siquiera había sido leído aún por su mamaíta, quedó indiferente, ni sorprendida ni displicente, dando con ello una muestra de gran desprendimiento.

¿Qué fue luego aquella lectura para la Madre Inés?

Una alegría, un atractivo, una edificación, una admiración siempre creciente que las maravillas obradas por la gracia en el alma de su hermana desde el primer despertar de la razón le producían: *"¡Cuánto bien no podría venir de tales páginas a las almas!"* —pensó—. ¿Cómo? No siendo ya Priora, no podía mandarlo a la Santa. ¿Decirlo a la Madre Gonzaga, tan aferrada a la tradición, tan autoritaria?...

Pasaban los días, Teresa empeoraba, y la Madre Inés seguía siempre vacilando. Por fin, el 2 de junio de 1897 manifestó su pensamiento a la Madre Priora y se ingenió tan bien para persuadirla que a la mañana siguiente Teresa recibía orden de continuar su narración.

"Le tenía ya preparado para el caso un cuaderno —dice la Madre Inés—. Pero le pareció demasiado bueno y temía faltar a la santa pobreza emborronándolo. Me preguntó si al menos podría escribir muy menudo para gastar el menos papel posible, y yo le respondí que estaba demasiado enferma para cansarse tanto y que era necesario que escribiera ralo y grueso".

Sor Teresa estaba de verdad demasiado mala. Escribió, con todo, unas cincuenta páginas, bellas y nítidas, según su costumbre, sin tachaduras, con aquella magnífica espontaneidad que la caracteriza. A primeros de julio, la pluma se le cayó de las manos.

Estas páginas las redactó en gran parte en el jardín, en el paseo de los castaños, sobre la poltrona con ruedas que había servido algún tiempo a su pobre padre, y viéndose continuamente interrumpida y distraída por las novicias que tenían necesidad de su ayuda y de su consejo.

—*"¿Sobre qué debo escribir?"*— había preguntado a la Madre Inés antes de comenzar.

—*"Sobre la caridad y las novicias"* —le respondió la hermana.

Y Sor Teresa escribió sobre lo uno y lo otro.

"Escribo sobre la caridad —decía Sor Teresa—, *pero no hago lo que debo. No puedo hacerlo peor. No hay conexión, se lo aseguro. Mi pensamiento, con todo se encuentra allí".*

Las últimas líneas están escritas con lápiz, porque, extenuada como estaba, tenía que hacer un esfuerzo demasiado grande para mojar continuamente la pluma. Leyendo aquel escrito tan bello, vivo, espontáneo y lleno de atractivo, no se diría en verdad salido de la pluma de una pobre enferma tan cercana a la tumba. En el mismo hablar durante su enfermedad, ¡qué encantadora sencillez! Ni la más mínima preocupación, ni la más mínima exageración.

El manuscrito de la *Historia de un Alma* está dividido en tres partes.

La primera, que comprende ocho capítulos, fue escrita por mandato de la Madre Inés; la segunda, que comprende el nono y el décimo, por el de la Madre Gonzaga, y la tercera, que comprende el undécimo, a ruegos de Sor María del Sagrado Corazón, que le había pedido un recuerdo escrito de lo que entendía por su "caminito".

"¡Querida hermana! —le dice Sor Teresa—. *Me pide le deje un recuerdo. Pues bien, desde el momento en que la Madre Priora lo permite, es para mí una alegría entretenerme con usted, que es hermana mía dos veces".*

—*"¿Y si la Madre Priora echase al fuego su manuscrito?"* —le preguntó un día la Madre Inés.

—*"Pues continuaría* —respondió la Santa—, *no teniendo duda alguna de mi misión. Pensaría sencillamente que Dios oiría por otros medios mi deseo".*

Esta idea de una misión que cumplir después de su muerte la expresó muchas veces durante su última enfermedad.

Cuando, por ejemplo, la Madre Inés le confió su pensamiento de leer el manuscrito en comunidad y hasta darlo a la imprenta, añadiendo, con todo, que tenían la desaprobación de algunas, la Santa respondió con sencillez sin vacilar: "*¡Madre mía! Será necesario que nadie sepa del manuscrito hasta que no sea publicado. Hablando de él o retardando su publicación, el demonio le tendería más de un lazo para impedir la obra de Dios..., obra importantísima*".

Otro día rogóle la Madre Inés que releyese cierto pasaje de su manuscrito, que le parecía incompleto. Volviendo después a la enfermería, halló a la Santa con los ojos húmedos de llanto: "*¿Llora?*" —le preguntó. Y con una expresión inefable, le respondió: "*¡Descubren tan por entero mi alma!... Sí. Estas páginas harán un gran bien. Se vendrá por ellas a conocer mejor la suavidad de Dios. Y siento —añadió— que todos me querrán bien*".

Así ha sido en efecto.

La Madre Gonzaga quedó profundamente conmovida de la agonía de Sor Teresa, y en los meses que siguieron a su muerte se le vio mitigar su carácter y reforzar su benevolencia por el influjo de una humildad creciente, mientras una aureola de gratitud y veneración nimbaba de luz el recuerdo de Sor Teresa.

Delante del retrato de Teresa en brazos de su madre, obtuvo la Madre Gonzaga una señalada gracia, de ella sola conocida, y desde aquel día no pudo verla sin llorar. Dijo con lágrimas a Sor Genoveva de la Santa Faz: "*Yo sola puedo saber lo que le debo. ¡Oh qué cosas me ha dicho! Pero con tanta suavidad...*".

Bajo el influjo de esta disposición de ánimo, fue fácil inducirla a la publicación del manuscrito.

El Reverendo padre Godofredo Magdalena, entonces Prior de los Premonstratens de Mondaye, fue el encargado de revisarlo y quien lo presentó a Monseñor Hugonín para obtener el *Imprimatur* y el decreto de aprobación. El *Imprimatur* fue expedido el 8 de marzo, y en octubre se puso el libro en camino para los varios conventos del Carmen, suscitando por doquiera verdadero entusiasmo. Algunas semanas más tarde un cambio de cosas hubiera hecho la publicación imposible.

La Madre Gonzaga murió en 1904, con grandes sentimientos de humildad. La víspera de su tránsito, pensando en los juicios de Dios, dijo con humildísimo acento: *"Espero, no obstante mis culpas, porque tengo por intercesora a mi Teresita. Estoy cierta de que deberé a ella mi salvación".*

Entre tanto la *Historia de un Alma,* traducida en tantas y tantas lenguas, corría por el mundo.

De los conventos carmelitas pasaban a sus amigos, y de los amigos, a todos, cual no sucedía con ningún otro libro. Lo leen y admiran tres Papas, Obispos y sacerdotes, doctos e indoctos, creyentes y descreídos, católicos y paganos...

Su Santidad Pío XI lo llama *"libro maravilloso"*, y, el mismo día en que canoniza a la autora, explica públicamente una de las razones del acto augusto que realiza: *"El libro compuesto por Sor Teresa sobre su vida en la límpida belleza de la lengua materna, para describir su camino de infancia espiritual, no sólo anda en manos de todos, sino que penetra con su suavidad los corazones de los hombres más alejados de la perfección cristiana, muchos de los cuales, convertidos por esta lectura, se mantuvieron fieles en la caridad de Cristo".*

Tras del Papa que atestigua el alto valor ascético del libro, los literatos no alcanzan a declarar su gran valor literario, y entre ellos Enrique Bremond, el genial, profundo y atrayente historiador francés. Para la *Leyenda de Plata* con que sueña, no se desdeña de espigar en la vida de Teresita ciertas notas íntimas, algunas cartas de aquella alma amabilísima, que dice ser *"de una juventud, de una gracia y de caridad incomparables"*. Con todo, no se reveló profeta cuando insinuó el temor de que la gente se cansaría de la *Historia de un Alma* y de que la figura desaparecería.

El nombre de Teresa, por el contrario, después de treinta años, está en los labios y en el corazón de todos, y en todas las manos su libro.

Las gracias se suceden a las gracias, los milagros a los milagros, milagros espléndidos, estrepitosos, gracias singulares.

Las cartas postulatorias de la beatificación de Sor Teresa afluyen al Vaticano de todas las partes del mundo, un número extraordinario. A los dos años de la solemne beatificación tiene lugar la solemnísima canonización. Raras veces vio Roma tanto esplendor en torno a una Santa.

"NO BUSCO SINO LA GLORIA DE DIOS: LA MIA SE LA REMITO A EL"

El 20 de agosto de 1914 moría el santo Pontífice Pío X, y moría de dolor por el estallido de una guerra que su voz y su corazón de padre no habían podido impedir. Uno de los últimos actos de su pontificado fue el firmar el decreto de introducción de la causa de nuestra Santa, cuyo nombre se había hecho mundial con rapidez sorprendente.

Declarada gloriosa taumaturga por la voz popular, sin dejar de curar los cuerpos, parecía que prefería curar primero las almas. A su intercesión se atribuían conversiones admirables, vocaciones magníficas, extraordinarios auxilios a religiosos, sacerdotes y misioneros.

Eran gracias a veces prodigiosas. Pero el primer milagro estrepitoso acaeció en 1906.

En el Seminario de Bayeux los jóvenes seminaristas, discutían mucho durante la recreación sobre Sor Teresa del Niño Jesús. Quienes la ensalzaban; quienes, por el contrario, no participaban del excesivo entusiasmo de los primeros.

Entre los más férvidos admiradores estaba el seminarista Anne, oriundo de Lisieux, el cual recibió de modo admirable la recompensa de su afecto.

En 1904, la salud de hierro del joven comenzó a fallar. El 23 de agosto terribles vómitos de sangre revelaron la existencia de una tuberculosis muy avanzada. Profundas cavernas en los pulmones, fiebre ardiente, náuseas, provocadas por toda clase de alimentos... Se trataba de una tisis fulminante, y, según los pronósticos, le restaban pocos días de vida.

Pusiéronle al cuello una reliquia de Sor Teresa, se comenzó por él una novena, pero el empeoramiento seguía implacable.

Una tarde, la Hermana enfermera lo animó a hacer generoso sacrificio de su vida, pensando que no pasaría de aquella noche.

Pero el joven no quería morir. Sentía junto a sí a Sor Teresa, sentía que su protectora quería restituirlo sano a la Iglesia y a la familia.

Apretando contra el corazón la reliquia, exclamó: *"Teresita mía; tú estás en el cielo, estoy cierto, y yo estoy aquí donde hay tanto bien que hacer. Es necesario que me cures".* Y puso en esta plegaria una esperanza tan intensa como nunca pensó que la pudiera tener.

Dicho esto, intentó sentarse en el lecho. Instantáneamente, la fiebre, los dolores...¡todo había desaparecido!...

¿Curación? Curación completa. Los médicos se vieron obligados a declarar que, por intervención sobrenatural, nuevos pulmones habían sustituido a los ya gastados.

El abate Anne es hoy capellán del hospital central de Lisieux, corriendo a su celoso cargo la asistencia de ochocientos enfermos.

El 10 de febrero de 1910, monseñor Lemonnier, —Obispo de Bayeux y de Lisieux—, obtuvo en la Sagrada Congregación permiso para iniciar el proceso de beatificación.

La información sobre la vida y virtudes de la

Sierva de Dios, comenzó en agosto de 1910 y se cerró en diciembre de 1911.

El 10 de diciembre de 1912 la Sagrada Congregación expidió el Decreto de aprobación de los escritos de la Santa, y dos años más tarde, el 10 de agosto de 1914, su Santidad Pío X firmó el de introducción de la causa en la Corte Romana.

Sor Teresa, en su lecho de muerte, había anunciado que su cuerpo no permanecería incorrupto.

En la primera exhumación que se hizo de sus restos mortales, el 6 de septiembre de 1910, no se halló sino el esqueleto de la Santa. La palma colocada a sus pies había quedado, con todo, perfectamente incorrupta. En efecto, del martirio le había venido la gloria. Celestiales perfumes que impregnaban la tierra contigua al ataúd exhaláronse aromáticos al ser destapada la caja.

...Estalla la guerra, y Sor Teresa parece cual si descendiera sobre los campos de batalla y las trincheras, ejerciendo los oficios de madre, de hermana y de ángel con los soldados franceses, italianos, alemanes, ingleses, a los cuales se aparece alguna vez hasta visiblemente.

Ante la querida imagen de la joven carmelita dijérase que los odios se extinguen. El bávaro, el prusiano, el austríaco, invocan a la taumaturga, y ¡cuántas agonías conforta Teresita, cuántos proyectiles desvía, cuántos alientos reanima, cuántos corazones conduce a Dios!...

Con las cruces de guerra, medallas concedidas al valor, espadines, etc., mandados como devotos, llegan también a Lisieux medallas, imágenes, reliquias de la Santa que han servido de escudo contra bombas y proyectiles, que han rozado la piel o han caído a la vera sin causar el menor daño.

Hay aviadores que bautizan a sus aparatos llamándolos *"aeroplanos de Sor Teresa"*; lo mismo hacen los artilleros con sus cañones, y regimientos enteros se le consagran con fervor. Los soldados franceses la llaman su segundo ángel custodio, la madrina de guerra, su madre.

Nada más conmovedor que esta oración de un joven artillero: *"¡Oh Sor Teresa del Niño Jesús, protégeme en lugar de la madre que me falta!"*

"¡Estoy desesperado! —escribe un aviador—. *He perdido una reliquia de la santita".*

Un infante escribe a su madre: *"Apenas recibido el recuerdo de Sor Teresa, he experimentado grandísima alegría. Ya nada temo".*

Del campo, de las trincheras, soldados en masa remiten al santo Padre cartas postulatorias implorando la gloria de los bienaventurados para aquélla por cuyo medio han obtenido laureles y cruces de guerra.

Entre tantas banderas y tantos estandartes mandados a Lisieux como testimonio de amor y reconocimiento, hay una italiana con la dedicatoria: *"A Sor Teresa del Niño Jesús, los soldados italianos por ella protegidos, en señal de reconocimiento: 1915-1918".*

Es un homenaje de los soldados de Castel del Fiore, provincia de Perugia, vueltos incólumes de la guerra por intercesión de la querida santita.

* * *

Mientras retumba el cañón y las ruinas y los lutos se acumulan, la *Historia de un Alma,* traducida en treinta y cinco lenguas, continúa su vida providencial.

Sólo en Francia, del año 1898 al 1925, se expendieron 410,000 ejemplares de la vida completa en francés, y 2.000,000 del compendio, más 30.388,000 de retratos y 17.507,000 de reliquias e imágenes con reliquias. ¿No es esto sólo un verdadero milagro?

* * *

Sor Teresa va esparciendo sus rosas por doquier. El 23 de abril de 1911 la Madre Priora del Carmen de Lisieux recibe una carta de un pastor presbiteriano de Edimburgo:

"Hace más de un año tuve conocimiento de la autobiografía de Sor Teresa del Niño Jesús, traducida al inglés. La abrí al acaso y pronto me detuve ante tanta belleza y originalidad de pensamientos. Parecíame haber caído en mis manos la obra de un genio y, a la vez, de un insigne teólogo o de un poeta de primer orden. Experimenté en mí lo que experimenta aquel a quien, de improviso, se le revela el mundo invisible, y exclamé: 'Teresa está aquí en esta sala'. Su imagen ocupaba sin interrupción mi espíritu, no me quería dejar y me parecía oírle decir: 'Mira cómo amán a Cristo los Santos católicos. Escucha. Escoge mi caminito, que es el único seguro, porque es el único verdadero'"...

"Comencé, pues, a invocar su ayuda con una alegría que no sé describir. Pero un día me dijo de pronto: '¿Por qué me ruegas que pida por ti si no quieres invocar a Nuestra Señora?'"

"Comprendí enseguida que no era lógico invocar a Teresa y olvidar a la Madre de Dios. Amanecía. Me dirigí suplicando a la Santísima Virgen. La prontitud de su respuesta me sorprendió, y mi alma fue inundada de un amor nuevo y pasional, de un amor que ha crecido y ahora es un abismo".

Recibido el bautismo el 20 de abril de 1911, el Reverendo Grant entraba en la Iglesia Romana: era el primer convertido de la Iglesia Libre Unida Escocesa.

Como su situación en la patria se le hiciera cada vez más difícil, hubo de abandonarla para marchar a Francia junto con su esposa, también convertida, estableciéndose en Alenzón, en la casa donde había nacido Santa Teresita. Allí, dedicándose a acoger a los innumerables peregrinos que venían a visitar a la santita, murió piadosamente el 19 de julio de 1917.

* * *

Mientras el proceso apostólico continuaba en Lisieux, un nuevo milagro extraordinario, revestido con los caracteres más innegables de autenticidad, vino a reforzar la opinión ya favorable de los jueces eclesiásticos.

Se trataba de una religiosa profesora de la Congregación de las Hijas del Sagrado Corazón, Sor Luisa de san Germán, que desde 1912 padecía una úlcera en el estómago, acompañada de frecuentes hemorragias.

Llegó a los extremos en 1915, recibió los últimos Sacramentos, dejando desde entonces de pedir a Sor Teresa el milagro de su curación y pidiéndole, más bien, que la ayudase a bien morir.

Pero no murió.

A principios de septiembre una Hermana de Ustaritz, que se hallaba de paso en el convento reanimó la confianza de la enferma, quien, acto seguido, comenzó a pedir de nuevo la curación. El 10 de diciembre apareciósele la Santa, y le dijo: "*¡Ten ánimo! Curarás presto, te lo prometo*" —y desapareció.

A la mañana siguiente, las enfermeras quedaron estupefactas al hallar por el suelo, alrededor de la cama de la enferma, muchos pétalos de rosas de todos los colores, señal cierta del paso de Sor Teresa y presagio indudable de la próxima curación. Pero del 10 al 21 el estado de la enferma se agravó hasta el extremo. Su fe debía ser más probada.

La tarde del 21 se durmió plácidamente, para despertar a la mañana siguiente curada y restablecida ya del todo.

* * *

El 11 de febrero de 1923 su Santidad Pío XI firmó el decreto de aprobación de los milagros.

El 14 de agosto de 1921 Benedicto XV ya había firmado el que declaraba la heroicidad de las virtudes.

El 26 de marzo de 1923 se desarrollaba en Lisieux una magnífica escena.

Los pocos que el 4 de octubre de 1897 habían acompañado al cementerio el pobre féretro de la ignorada carmelita, pensaban seguramente que aquellos restos virginales esperarían allí la última resurrección. Mucho antes, sin embargo, debían abandonar aquella mansión funeraria y abandonarla triunfalmente.

Cincuenta mil peregrinos invadían desde la mañana del 26 de marzo la ciudad, aguardando la hora de la apertura del cementerio. Los obreros trabajaban febrilmente para hallar la caja donde reposaban los restos preciosos de nuestra Santa.

Por gracia especialísima, a una pobre señora venida de Angers, le fue permitido el ingreso al cementerio. Traía en los brazos a una niña de doce años, hija suya, afectada del mal de Pott, inerte y como plegada en dos. La pobre señora púsola delicadamente sobre la capa de tierra que aún cubría la sepultura de la Santa. Arrodillóse luego y oró con fervor emocionante. Pasaron algunos minutos, y la niña se alzó en pie, ágil, lista y llena de salud y vigor.

Un penetrante olor de rosas emana de la tumba. Por fin, la pesada caja que atesora el cuerpo de la Santa es sacada a flor de tierra.

Llenados todos los requisitos legales, colócanla sobre magnífica carroza nueva, toda blanca, adornada de riquísimos tapices y arrastrada por cuatro caballos blancos ricamente enjaezados. La escoltaban trecientos sacerdotes, toda la comunidad de Lisieux, una veintena de delegaciones católicas y un grupo de honor de la armada americana, con fusil a la espalda y bandera desplegada, al mando del capitán Huffer, vice-comandante de la Legión americana de París.

Ni bandas ni cánticos, sino sólo el rosario, intercalado a cada descanso por los salmos del Común de las Vírgenes.

El recogimiento es intenso, la emoción profunda, todo está saturado de oración, y Teresa pasa, como Jesús, haciendo el bien.

Una señora pide la conversión de su marido, y logra verlo, después de treinta años, acercarse por Pascua a la Sagrada Mesa.

Un mutilado de guerra adquiere súbitamente el uso de las piernas.

Una señora parisiense cura de una enfermedad del estómago.

Un pobre padre de familia presenta a la Santa su brazo inerte, a causa de varias operaciones, y recobra enseguida su uso, pudiendo volver a ganar el pan para sus hijos.

Una ciega pide a Santa Teresa la gracia de recobrar la vista, y sus ojos se abren para contemplar las reliquias.

En el momento en que la caja fue introducida en la capilla del Carmen, donde tantas veces Teresa había orado de niña y de joven, un órgano nuevo y magnífico dejó oír por vez primera una marcha triunfal, a la que siguió el himno *"Jesu Corona Virginum"*.

A continuación de la última y solemne bendición del Obispo, la Iglesia se desalojó lentamente, y Sor Teresa, rodeada de flores, quedó allí sola al pie del altar para hacer su guardia de honor. La multitud alejóse pensativa y emocionada. Siete trenes especiales salieron aquella tarde de Lisieux para desparramarla en todas las direcciones de Francia.

Muchos, con todo, se quedaron para orar de rodillas ante el cancel de la capilla, e incluso en el corazón de la noche viéronse algunas sombras postradas en torno de aquel santuario en actitud de recogida y larga oración.

¿Y las Hermanas de la Santa? ¿Qué sintieron al otro lado de las rejas, con motivo de aquel retorno triunfal? ¿Y qué al día siguiente, cuando en el reconocimiento de las reliquias tomando monseñor Lemonnier de las manos de un médico la cabeza de la Santa, se la presentó a la comunidad para que la venerase? ¿Y qué a la tarde, cuando se abrió la puerta y salieron en dos filas, con manto blanco y candela en la mano, al encuentro de los sagrados restos, como habían salido un día al encuentro de la jovencita de quince años que entraba en el Carmen para amar y sufrir?

La prensa francesa habló largo y tendido de los sucesos de Lisieux y alguien hizo el paralelo entre dos personajes que aquel día ocuparon el mundo.

"Mientras Sarah Bernhardt, la reina del teatro moría —son palabras de un periódico de Dreux— un inmen-

so cortejo acompañaba en Lisieux la traslación del cuerpo de Sor Teresita. La una terminaba su carrera, después de haber cantado las pasiones del mundo; ¡la otra comenzaba la suya, después de haber cantado las alegrías del cielo!"

¡BEATA!

El 29 de abril de 1923 tuvo lugar la beatificación de Sor Teresa.

Cuarenta y cinco Obispos, todos los embajadores de la Santa Sede, Prelados, altos dignatarios y una multitud inmensa se dieron cita en San Pedro.

Tras la lectura del Decreto de Beatificación, monseñor Lemonnier entonó el *Te Deum*. La Basílica se iluminó de improviso, y en la *"Gloria"* de Bernini miriadas de luces iluminaron el cuadro de la Santa. La multitud clamaba entusiasmada...

Comenzó luego la misa solemne, y el centenar de sacerdotes reunidos en el coro repitieron a una con el Obispo de Bayeux: *"Oh Señor, que habéis dicho: 'Si no os hiciereis semejantes a los niños, no entraréis en el reino de los cielos', dadnos, os rogamos, seguir fielmente a la Bienaventurada Virgen Teresa en el camino de la humildad y sencillez de corazón, para merecer algún día tener parte en su recompensa eterna"*.

Acabada la misa, la multitud se disolvió lentamente. Y no pocos militares, magistrados y altos dignatarios hubieron de enjugarse los ojos, diciendo: *"¡Qué hermosa jornada!"*

Por la tarde, Pío XI se presentaba por vez primera en San Pedro con motivo de una beatificación.

Los solemnes acentos de los sagrados bronces de San Pedro, que homenajeaban a la nueva Beata, parecieron difundirse por el mundo entero, haciéndoles eco millares y millares de otras campanas. Todas ellas, desde las grandiosas de la catedral hasta las pequeñas esquinas del misionero, esparcidas en la selva, todas querían cantar al mismo son un himno de amor a la nueva Beata...

Los oradores más insignes fueron invitados a tejer sus alabanzas.

"*¡Oh, Teresa del Niño Jesús!* —exclama el Padre Perroy, en la Primada de Lyón—. *Deja que yo te defienda contra los que te hacen caminar sobre una fragante senda de rosas.*

"*Quiero decir a todos que tu alma fue, sobre todo, fuerte; quiero decir que tú puedes contarte entre Juana de Arco y Margarita María; quiero decir que tus combates fueron cual los de Dios; quiero decir que fuiste heroica entre las heroicas, porque escogiste el camino más contrario a la naturaleza: el de los humildes.*

"*Quiero decir que si toda rodilla se te dobla aquí en la tierra, si tu nombre ha llegado a ser el más popular, no, no es sólo por estar circundado de rosas; es porque como el Crucificado perfumado con tus flores, fuiste obediente hasta la cruz*".

Y en Roma, en la iglesia de santa Teresa, al clausurar el triduo solemne de la Postulación (5, 6 y 7 de octubre de 1923), el Cardenal Laurenti hablaba así:

"*En nuestra época, turbada por tantas tempestades ¿de dónde procede la poderosa e irresistible atracción de esta niña, que vivió ignorada en el fondo de un claustro? Procede de que nuestra época, hecha luz y sombras, y que siente en sí lamentos de muerte y palpitaciones y soplos de vida, experimenta aún, a pesar de sus errores y culpas, impulsos de admiración y deseos por el sagrado ideal de la fe, por la sublime belleza de la luz que viene de lo alto y es toda espiritual y divina.*

"Y Teresa evoca esta belleza.

"Ella irradia aquella luz, porque es virgen, y la virgi-nidad, que viene de Dios, a Dios vuelve llevando hacia El todo lo que roza con sus alas, todo lo que embalsama con el perfume santo de su virtud.

"Esto el mundo no lo comprende.

"El tolera en silencio que pobres criaturas se envilez-can hasta los últimos grados de la degradación, que caigan y se pudran en el fango.

"Tolera que la santidad de la familia sea violada y que el vicio la deshonre y la haga infecunda.

"Pero cuando un alma, desdeñando el fango, quiere levantarse hasta Dios por el culto de una inmaculada pureza, entonces él murmura e invoca elocuente los dere-chos de la familia y de la sociedad.

"El no sabe que aun la virginidad es fecunda.

"Mientras jóvenes coetáneas de Teresa corren en busca de placeres y recogen flores engañosas, que se marchitan entre sus dedos, ella va a buscar en el fondo del claustro la cruz que por amor la unirá con su Dios. Y como un gra-no de incienso en incensario de oro, se dejará consumir por este amor que la penetrará toda, abandonándose a su acción santificadora con el candor y la confianza de un niño.

"Pero Teresa no guardará los tesoros de este amor sólo para sí. Tiene una misión que cumplir; la de dar a su Dios amor por amor, la de hacerlo amar como ella le ama.

"Para atraer a las almas se hará apóstol y se hará mártir de deseo. Caminará a la conquista de los corazones con el ardor y generosidad que admiraba en la otra virgen intré-pida que fue Juana de Arco. También ella tendrá su hoguera, cuyas llamas no serán, bien que invisibles, menos vivas y menos ardientes que las de aquélla.

"Y en el holocausto completo de sí misma afirmará la verdad de su misión, de aquella misión extraordinariamen-

te provechosa que comenzó precisamente en la hora en que se podía creer cumplida.

"¡He aquí la fecundidad de esta vida, toda escondida, toda sepultada en Dios!

"¡He aquí la potencia de la virginidad cristiana!

"¡Cuán grande es esta pequeñita y cuán efímeras aparecen ante su gloria las grandezas y los honores del mundo!

"Los pequeños son privilegiados. Precisamente porque no tienen nada, porque lo reciben todo. Es la historia de Teresa, que desde la más tierna infancia, no habiendo negado nada al Señor, tiene el derecho de esperarlo todo, de obtenerlo todo".

Excepción hecha de las ceremonias papales, Roma no vio cosa más solemne ni magnífica que este Triduo de la Postulación. El aspecto de la Iglesia era tal, que su Eminencia el Cardenal Gasparri, bien acostumbrado a los esplendores romanos, no pudo contenerse sin decir al pisar los umbrales: *Esto es la antecámara del paraíso".

Antes que el Carmen de Roma, el de Lisieux había tenido también su Triduo, que, no obstante la presencia de S. E., el Cardenal Vico, legado de su Santidad, del Primado de Normandía y de los obispos de Troyes y de Evreux, conservó hasta el final su aspecto de intimidad, dadas las reducidas dimensiones de la capilla.

Solemnísimo, en cambio, fue el que celebró la ciudad de Lisieux en su catedral.

Tres Cardenales habían acudido: Bourne, Primado de Inglaterra; Dougherty, Arzobispo de Filadelfia; Touchet, Obispo de Orleáns, y quince Obispos.

El orador de la última tarde fue el Cardenal Touchet.

— *"¿Qué dirá el águila de la paloma?"* —murmuró un obispo.

Y el águila comenzó subyugando con la mirada a los seis mil asistentes, y luego remontó el vuelo a las sublimes alturas donde suele volar...

El obispo de Orleáns, viene a pagar a la Beata una deuda de gratitud. Cuando el proceso de canonización de Juana de Arco está a punto de ser definitivamente interrumpido, vuélvese él a Sor Teresa e invoca su ayuda.

Pío XI confirma cuanto ha decidido y apresura la exaltación suprema de la *"Pucelle d'Orleáns"*.

El Cardenal celebra la poderosa intercesión de la santita junto a Dios, y muestra cómo este poder se debe a su incomparable amor, amor ardiente, inextinguible, generoso, que inclinó al Altísimo hacia la humilde hija de su corazón, admitiéndole a su más dulce intimidad.

Evoca después la misión consoladora desarrollada por Teresita entre los soldados de la gran guerra, y dirigiéndose a los dos Cardenales extranjeros allí presentes, les conjura a que proclamen muy alto en sus países que Francia tiene horror a tales hecatombes y no aspira sino a la paz y al respeto de sus derechos.

Aplausos sin fin acogen esta inesperada y conmovedora peroración. ¿Podía, por ventura, hablarse de otra manera, festejando a la Santa de la paz y del amor?

Una solemne procesión con las reliquias, que también obraron prodigios a su paso, clausuró con broche de oro el festival vespertino.

¡SANTA!

"*¡La gloria de Teresa sube, sube!* —decía el Asistente general de una importante Congregación, a vista de los continuos milagros obrados por Teresa, declarada Beata—; *sube, pero aún está lejos de su apogeo. Esta santita resplandece con maravillas de las que no son sino lejano preludio los resplandores de estos días. En el Reino de los cielos esta niña tiene la palma en la mano y lo hará ver*".

De hecho, nuevos milagros de primer orden fueron propuestos a la Sagrada Congregación.

Roma se hace eco de un verdadero plebiscito internacional: del mundo entero se solicita la canonización de Teresa, y las reglas canónicas ceden al deseo de los pueblos.

El 17 de mayo de 1925 era el día del gran triunfo.

Treinta y cuatro Cardenales, más de doscientos Obispos y Arzobispos, numerosísimos Prelados y millares de religiosos preceden a la silla gestatoria en el gran cortejo.

La cara del Papa está radiante.

El triunfo inaudito de la que fuera proclamada por él "*estrella de su pontificado, abogada de las causas más amadas de su corazón, ángel custodio de su vida*", ¿acaso no es también su triunfo?

Cincuenta mil fieles rodean la inmensa Basílica. Todos los Cardenales, Patriarcas, Primados, Arzobispos, Obispos y Abades desfilan delante del Papa para prestarle obediencia.

Después de la postulación de uso y de la invocación ritual al Espíritu Santo: *"¡Alzaos!* —exclamó el secretario de los Breves—: *Pedro va a hablar por boca de Pío"*.

La multitud calla.

En aquel majestuoso silencio, Pío XI pronuncia la fórmula que hará surgir en toda la Iglesia los acordes de un hosanna magnífico y triunfal.

El Papa infalible ha hablado, y de la inmensa cúpula desbordan las trompetas de plata, cual vítor celestial, la catarata impresionante de sus alegres acordes.[1]

Las campanas de San Pedro llenan el aire con sus ondas sonoras, y a su potente voz responden todas las de la ciudad Eterna. Los aplausos de la multitud no son para describirlos.

Acto seguido entona el Papa el *Te Deum*, seguido del *Oremus* a la Santa.

Comienza la misa papal, y después del Evangelio, el Santo Padre, en una espléndida homilía, exalta como su predecesor el caminito de la infancia espiritual...

---

1. El demonio, envidioso de todo bien, rechina de rabia y desencadena neciamente el infierno entero contra la dulce santita. Rabia por las innumerables almas que se le escapan de las manos y por la gloria que ella procura a Dios. Nada más necio, por lo demás, que tal furor, porque el primero en canonizar a los Santos es Dios, eterna verdad, no haciendo la Iglesia más que ratificar en la tierra lo decretado en el cielo.

El don de milagros que Dios concede a algunos de sus elegidos es la prueba de que su voluntad, ciñe la frente de algunos de sus hijos con la aureola de los Santos. Todos tenemos que bajar la cabeza, creer y obedecer, porque la Iglesia es infalible. Quien impugna a los Santos canonizados o pone en duda su santidad, es hereje, recordémoslo, y, como tal, está condenado por la Iglesia.

***

Lo que sucedió en todo el mundo cuando la beatificación, lo que sucedió en Lisieux, se repitió de la canonización en una proporción más grande y más espléndida, si cabe.

Los festejos de Lisieux se cerraron con una más grandiosa y solemnísima procesión. Más de treinta obispos, un Patriarca de Oriente, tres Cardenales, siguen las reliquias de la querida Santa. La caja es llevada en hombros por padres carmelitas, escoltados de un selecto piquete de oficiales.

Las banderas de cuarenta naciones parecen proteger a la Heroína y traerle las palpitaciones de todo el mundo. La procesión se detiene en los jardines públicos, y allí bajo el verde fondo de los árboles seculares, sobre el césped y los macizos de flores, se confunden maravillosamente la púrpura de los Cardenales, el oro de los sagrados ornamentos, el brillo de los uniformes y el blanco intenso de las capas carmelitas.

El padre Martín, grande e incansable panegirista de Santa Teresa, toma la palabra por última vez. Cuando cesa de hablar, millares y millares de voces, varoniles e intrépidas, lanzan a todos los vientos las afirmaciones del Credo. Por un momento parece retornarse a aquella edad feliz en que la palabra de san Bernardo electrizaba a las multitudes y las lanzaba entusiastas a la conquista de los Santos Lugares.

A continuación el cortejo vuelve a emprender su marcha hacia el Carmen.

Viene la noche, y Lisieux se ilumina por completo. Raudales de luz envuelven la capilla del monasterio, y la estrella que remata la cruz de la cúpula, evoca el recuerdo de la *"querida estrellita"* de Pío XI.

La estrella coronaba la cruz... El dolor hizo escalar a Teresa las cumbres de la gloria... De la cruz a la luz..

"*Sor Teresa del Niño Jesús, en todos sus caminos, abrevió o mejor, devoró el espacio* —escribía en 'El Carmelo', revista de Roma, Sor Inés de Jesús—. *Apenas si rozó las sendas de la vida; siempre voló por las sendas de la santidad, atravesando, como un rayo, el camino que conduce al ápice de la gloria*".[2]

---

2. El 30 de octubre de 1925 el cardenal Vico puso en manos de la Santa la rosa de oro, ofrecida y bendecida por S.S. Pío XI, como para consagrarla reina.

INDICE

Se terminó de imprimir en los Talleres de
EDICIONES PAULINAS, S. A. de C.V. -Av.
Taxqueña No. 1792 - Deleg. Coyoacán - 04250
México, D.F. el 28 de Marzo de 1997. Se
imprimieron 3,000 ejems., más sobrantes para
reposición.